Collection OUTILS

Gérard VIGNER

Parler
et convaincre

Hachette

TABLE DES MATIÈRES

© Hachette 1979. ISBN : 2.01.004568.8

PRÉSENTATION

Dans les phases initiales de l'apprentissage de la langue, l'échange oral est avant tout un échange de type utilitaire. Il s'agit de demander un renseignement, un prix, un objet, ce qui correspond à l'usage le plus courant de la langue. On y apprend aussi un certain nombre d'actes sociaux, saluer, se présenter, remercier, tout ce qui permet en somme de faire face aux besoins de communication les plus immédiats.

Mais prendre la parole peut avoir aussi d'autres objectifs. On peut avoir à parler, et c'est très fréquent, pour exposer un point de vue, faire part d'une intention, d'un projet, se justifier, entraîner une décision, faire changer quelqu'un d'avis, **parler** donc pour **convaincre.**

Prendre la parole dans cette intention, ce sera à la fois être·capable **d'analyser correctement la situation de communication dans laquelle on doit intervenir — qui parle à qui ? à partir de quelles données ? selon quelle attitude ? etc. — et en même temps de trouver les mots et les expressions justes** qui permettront aux arguments de prendre forme et d'atteindre ainsi l'objectif visé.

Cet ouvrage permet de regrouper ainsi les expressions les plus couramment utilisées en **actes de parole** — protester, concéder, approuver... —, leur combinaison permettant de produire ainsi des discours très diversifiés adaptés aux intentions de chacun.

L'élève ou l'étudiant apprendra ainsi à la fois à **parler** mais aussi à **écouter** le discours des autres et à repérer derrière les mots les intentions de celui qui parle.

L'ouvrage comporte trois grandes parties :

— *organisation,*

— *actes,*

— *stratégies,*

sur des thèmes se rapportant aux problèmes les plus actuels de la vie contemporaine.

Cet ouvrage peut se prêter :

— *soit à un apprentissage individuel,*

— *soit à une utilisation collective dans le cadre de la classe, le professeur pouvant y trouver une large gamme d'exercices qui permettront de familiariser ses élèves à la pratique du débat.*

ORGANISATION

Pour pouvoir convaincre, il faut d'abord être clair, savoir disposer ses arguments et organiser son discours de manière à être compris sans difficulté. C'est pourquoi il faut savoir :

— exposer (p. 6),

— s'expliquer (p. 12 et p. 17),

— illustrer (p. 24),

— donner un exemple (p. 26).

EXPOSER

Parler aux gens, c'est d'abord pouvoir se faire écouter d'eux. Or, écouter un exposé, une conférence, un cours, cela réclame un effort d'attention souvent important qui peut, à la longue, déterminer dans l'auditoire une certaine lassitude.

Il est donc indispensable d'établir et de maintenir le contact tout au long de l'exposé, en vue de faciliter l'effort d'écoute de votre auditeur. Un moyen de le faire sera de disposer des repères destinés à signaler un passage important, à annoncer un changement d'orientation ou une autre étape dans la démonstration. Ces mots, ces expressions ne sont pas indispensables du point de vue du sens, ils n'ajoutent rien à ce que vous avez à dire mais, et en cela leur rôle est essentiel, facilitent l'accès de vos auditeurs à la compréhension de votre discours.

LE MONDE MODERNE

Voici l'exposé du professeur Jean Renaud sur l'attitude des gens à l'égard du monde moderne. Chercheur scientifique, Jean Renaud sait de quoi il parle. Il n'hésite pas à aller dans le sens contraire à bien des idées reçues.

De tels propos feront d'ailleurs l'objet d'un débat (cf. *intervenir*, p. 73).

Données empruntées à Maurice TUBIANA, *Le refus du réel.*

Introduction

Le monde moderne fait à l'heure actuelle l'objet d'une condamnation presque unanime. Tout le monde se déclare insatisfait et critique aussi bien la pollution, l'énergie nucléaire, les produits chimiques que la vie urbaine et ses tensions. Ces accusations sont-elles vraiment justifiées?

annonce du projet

Telle est
la question | que je voudrais | aborder
 | | traiter
 | | avec vous
 | | maintenant.
 | à laquelle je voudrais essayer
 | de répondre.

Dans cette intention, j'ai choisi un certain nombre d'exemples qui me paraissent particulièrement significatifs.

présentation du plan

Je parlerai | tout d'abord des
 | premièrement des
 | en premier lieu des
Je commencerai par aborder les

problèmes de la pollution et notamment de l'usage des insecticides comme le D.D.T.

Ensuite
En second | lieu
 | point nous étudierons les
problèmes de santé et
enfin
pour terminer nous dirons quelques mots au sujet des loisirs et du mode de vie actuel.

annonce de la première partie

Commençons, si vous
 le voulez bien, par
Je commencerai par | la question de la
pollution par les produits chimiques et notamment les insecticides comme le D.D.T.

début d'une énumération

Disons tout d'abord que
Signalons pour commencer que les insecticides dont on dit tant de mal ont permis de lutter contre des épidémies comme le typhus qui autrefois faisaient des ravages.

suite de l'énumération	Ils ont	d'autre part
		par ailleurs
		aussi permis d'améliorer de façon

considérable les rendements agricoles.

annonce d'une digression	Notons	à ce propos	
		à ce sujet	que
	Signalons	au passage	

dans bien des pays du Tiers-monde une grande partie de la récolte est encore détruite par les insectes. C'est un fait à ne pas négliger.

| fin de la digression | **Pour en revenir à notre propos, je disais donc que** l'introduction de produits |

chimiques présente bien des effets positifs que l'on a tort d'ignorer. Mais c'est là une attitude hélas! très répandue.

| annonce d'une digression | **Notons d'ailleurs** |
| | **Il y a lieu de remarquer à ce propos** que |

l'on retrouve la même attitude au sujet de l'énergie nucléaire. Tout le monde en parle, mais personne ne dit rien des cent mille morts que provoquent en France chaque année l'alcool et le tabac.

fin de la digression + transition	Cette remarque faite,	venons-en
		à présent
	Cela dit	voyons donc
		maintenant
		examinons alors

l'état de la santé des gens aujourd'hui.

Est-il nécessaire de rappeler que l'espérance de vie est passée de 20 ans en 1775 à 70 ans en 1970, que la mortalité infantile est pratiquement identique dans tous les quartiers de Paris, alors qu'au début du XXᵉ siècle la durée de vie moyenne était de 60 ans dans les quartiers riches et de 35 ans dans les quartiers populaires?

**deuxième point
de l'énumération**

On notera **aussi** que la taille moyenne des adolescents va en augmentant, ce qui est un signe objectif de bonne santé.

conclusion sur ce point

> **En gros
> En somme
> Ce qu'il faut retenir de tout cela c'est que
> Donc
> Cela montre que**

l'on ne peut pas parler de détérioration de la santé par la vie moderne.

**transition et annonce
de la dernière partie**

> **Nous pouvons passer maintenant à notre dernier point
> Venons-en à notre dernier point
> Cela nous amène tout naturellement au dernier point de mon exposé,** celui du

mode de vie actuel. On rend la vie citadine responsable de bien des maux et l'on vante les vertus de la vie à la campagne, au contact de la nature. Mais je dois signaler que les maladies de cœur, comme l'hypertension, sont aussi fréquentes dans les campagnes les plus éloignées que dans les villes. Alors?

Conclusion générale

> **Pour conclure
> En conclusion
> La conclusion de tout cela est** qu'il faut

aborder ces questions avec plus de rigueur, plus d'objectivité. Le monde actuel est loin d'être parfait, c'est vrai, il y a beaucoup à faire. Ce n'est pas une raison cependant pour dire n'importe quoi.

EXERCICE

Voici un texte qui a été écrit pour être *lu*. Il s'adresse aux Français, et ils sont hélas! encore nombreux, qui ne sont pas encore convaincus de l'utilité de la ceinture de sécurité en automobile.

LA SÉCURITÉ ROUTIÈRE VOUS INFORME

20 000 VIES SAUVÉES EN CINQ ANS

De **1972** à **1977**, le nombre annuel des tués sur les routes françaises a été ramené de **17 000** à **13 000** environ. De nombreuses vies ont donc été épargnées.

Si les pouvoirs publics n'avaient pas engagé une politique vigoureuse de sécurité routière, l'hécatombe aurait sans doute continué. En cinq ans, 20 000 vies humaines ont été sauvées et 30 milliards de francs économisés pour le pays.

Ces résultats sont largement dus à deux mesures qui ont demandé la coopération des usagers de la route et qui ont fait la preuve de leur efficacité :

— les limitations de vitesse
— l'utilisation de la ceinture de sécurité.

UN PETIT CLIC VAUT MIEUX QU'UN GRAND CHOC

La France a été le premier pays d'Europe à rendre obligatoire l'utilisation de la ceinture de sécurité : depuis juillet 1973 pour la circulation sur route; depuis janvier 1975 pour la circulation en agglomération — de 22 h à 6 h du matin — et sur les voies rapides en ville.

Les ceintures sont de plus en plus pratiques. Aujourd'hui les ceintures à enrouleur équipent la plupart des voitures neuves.

POURQUOI LA CEINTURE DE SÉCURITÉ

Sur plus de 120 000 accidents analysés, il est apparu que le risque d'accident mortel était divisé par plus de deux pour ceux qui utilisaient la ceinture de sécurité. Pourquoi?

— parce qu'à 80 km/h en cas de choc brutal, les occupants d'une voiture, non ceinturés, sont projetés en avant par une force de 40 à 50 fois supérieure à leur poids. Seule la ceinture de sécurité peut absorber cette énergie ;

— parce qu'à moins de 90 km/h, l'accident est très rarement mortel avec une ceinture de sécurité.

LES FRANÇAIS ET LA CEINTURE DE SÉCURITÉ

Plus de 80 % des Français sont convaincus de l'utilité de la ceinture de sécurité, 61 % d'entre eux sont également favorables à ce qu'elle soit rendue obligatoire en ville, de jour comme de nuit.

Parmi les usagers impliqués dans un accident sur route en 1976, 79,4 % portaient leur ceinture. Boucler sa ceinture de sécurité est donc devenu un réflexe. Un bon réflexe.

De 1972 à 1977, alors que le trafic augmentait de 28 %, le nombre des tués a diminué de 20 % et celui des blessés de 15 %. Devant ces résultats, la progression des accidents de la route ne peut plus être considérée comme une fatalité.

En 1978, les conducteurs français ne se comportent plus comme en 1972. En effet, un nouvel état d'esprit commence à apparaître sur nos routes. C'est grâce à lui et à l'effort de tous que nous pourrons atteindre le prochain objectif que se sont fixés les pouvoirs publics : ramener à moins de 10 000 morts par an le lourd bilan des accidents de la route.

20 000 VIES SAUVÉES EN 5 ANS. CONTINUONS

Supposons que vous organisiez une réunion rassemblant un certain nombre de représentants de clubs automobiles, d'usagers de la route, de journalistes, dans le cadre d'une campagne lancée par **la Sécurité Routière.**

Vous allez exploiter les données présentées dans ce document. Mais vous n'allez pas seulement les lire. Vous allez essayer de les présenter à votre auditoire de façon à être bien compris, en insistant sur les points importants. Vous pourrez, par exemple :

— introduire votre sujet,
— annoncer votre objectif,
— distinguer les différentes parties,
— souligner les passages importants, etc.

A vous de parler.

Sécurité Routière : Organisme officiel chargé d'étudier toutes les questions relatives à la sécurité sur les routes.
Port de la ceinture de sécurité en ville : depuis le mois d'octobre 1979, il est obligatoire en ville, de jour comme de nuit.

S'EXPLIQUER (1)

On peut formuler un avis de façon très claire et très nette. Ainsi, la personne qui vous écoute ne risquera pas de commettre une erreur sur la nature exacte de votre position.

Mais, même si cette position est claire, elle risque cependant d'être mal interprétée, pour différentes raisons. Il est donc essentiel pour vous d'être bien compris. Vous devez vous expliquer, préciser votre pensée pour éviter un malentendu. Comment le marquer dans votre discours?

LES CALCULATRICES A L'ÉCOLE

Depuis plusieurs années déjà, les gens disposent, pour leur usage personnel, de calculatrices de poche. Jusqu'à maintenant, cela ne posait pas de problèmes. Or, il est question de les introduire systématiquement à l'école comme dans les lycées. Un problème se pose donc à tous les enseignants. Faut-il autoriser l'usage de ces calculatrices à l'école, faut-il aménager les programmes en fonction de leur existence?

Voici les arguments qui sont généralement avancés :

POUR	CONTRE
— les machines actuelles ne sont guère plus chères que les tables de logarithmes ou que les règles à calcul;	— le cerveau est un ordinateur infiniment plus puissant que n'importe quelle machine à calculer. Il faut savoir s'en servir;
— elles économisent un temps précieux perdu jusqu'alors en calculs longs et fastidieux;	— cela désavantage les enfants dont les parents ont des ressources limitées;
— savoir utiliser la machine oblige à réfléchir. C'est aussi formateur que la manipulation de tables de logarithmes ou de tables trigonométriques;	— elles empêchent les gens de calculer;
— elles soulagent l'effort de calcul numérique et permettent de mieux centrer cet effort sur la démarche de raisonnement.	— elles ne remplacent pas l'acquisition des mécanismes opérateurs fondamentaux;
	— elles favorisent une certaine paresse intellectuelle;
	— elles créent une dépendance à l'égard d'un objet;
	— la pédagogie n'a pas à se soumettre aux lois du marché, ni aux fabricants.

Situation :

Vous êtes professeur et on vous interroge sur cette question. **Vous êtes opposé** à l'usage des calculatrices à l'école. Mais **vous avez le sentiment que si vous dites cela, on va vous prendre pour une personne opposée à tout progrès en pédagogie. Vous allez passer pour un conservateur. Ce qui n'est pas vrai.**

Vous allez vous expliquer.

POSITION

1 / Comprenez-moi bien...   2 / Je ne suis pas opposé à...   3 / Mais...

Q./ Ainsi, vous êtes opposé à l'introduction des calculatrices à l'école? En somme, vous refusez toute possibilité de modernisation?

Appel à l'attention

Vous insistez, vous rassurez

Vous vous opposez

1/ **Comprenez-moi bien.** Je ne suis **absolument** pas opposé à l'introduction des techniques modernes dans l'enseignement, **loin de là, mais** j'estime que de tels outils ne peuvent que favoriser une certaine paresse intellectuelle.

Appel à l'attention

Vous rassurez

Vous vous opposez

2/ **Je voudrais me faire bien comprendre,** je ne suis **pas du tout** hostile à l'introduction des techniques modernes dans l'enseignement, **bien au contraire, mais** je considère que de tels instruments ne peuvent remplacer l'apprentissage de l'addition et de la soustraction.

Appel à l'attention

Vous rassurez

Vous vous opposez

3/ **Entendons-nous bien,** je ne suis pas contre l'introduction des techniques modernes dans l'enseignement, **mais** je pense que l'usage de tels appareils ne peut que défavoriser les enfants dont les parents ne disposent pas de ressources suffisantes.

Vous rassurez

Appel à l'attention

Vous vous opposez

4/ Je ne suis pas **du tout** hostile à l'introduction des techniques modernes dans l'enseignement, **ce que je veux dire, c'est que, selon moi,** on risque de créer une dépendance de l'élève et plus tard de la personne à l'égard des machines, ce qui est dangereux.

Vous expliquez

Appel à l'attention

Vous vous opposez

Vous rassurez

5/ Le cerveau est un ordinateur infiniment plus puissant que n'importe quelle machine à calculer. Il serait dommage de ne pas en tirer profit ; **tout cela pour vous dire que** je ne suis pas hostile à l'introduction des techniques modernes dans l'enseignement. Je voudrais **simplement** que l'on réfléchisse un peu avant de prendre de telles décisions.

EXERCICES

1/ Imaginons la position inverse.

Vous êtes enseignant. Vous êtes favorable à l'introduction des calculatrices à l'école. Mais vous ne voulez pas passer pour un partisan aveugle des techniques modernes dans l'enseignement.

On vous interroge.

Q./ Ainsi, vous vous déclarez favorable à l'introduction des calculatrices à l'école. Vous ne pensez pas qu'il y a là un risque ? Tout ce qui est moderne est-il forcément bon ?

— **Comprenez-moi bien...**

2/ Autre sujet de préoccupations :

TV : la révolution silencieuse

En effet, selon une enquête récente, il apparaît que plus de 70 % des enfants de 8 à 15 ans passent plus de quinze heures par semaine devant leur poste de télévision.

— Vous êtes éducateur et l'on vous interroge à ce sujet.

— Vous vous inquiétez d'une telle situation.

— Mais, vous ne voulez pas passer pour un adversaire aveugle de la télévision, pour une personne qui ignore aussi ce qu'elle peut apporter aux enfants.
On vous interroge.

Q./ Ainsi, vous trouvez que les enfants passent trop de temps devant leur poste de télévision. Mais vous ne pensez pas que la télévision peut beaucoup apporter aux enfants ? Répondez.

3/ La modernisation de la presse :

La modernisation de la presse pose bien des problèmes. En effet, l'utilisation d'un matériel d'imprimerie moderne entraîne souvent une diminution importante de personnel et l'utilisation d'un personnel de qualification différente (clavistes à la place des traditionnels typos)... Le syndicat des Ouvriers du Livre (ouvriers d'imprimerie) a déclenché des grèves à plusieurs reprises sur ce thème.

Avant, composition du journal par des linotypistes, ouvriers hautement qualifiés.

Maintenant grâce à un matériel moderne, le texte est frappé par des clavistes avant d'être transmis à la photocomposition.

Bien entendu, une telle attitude n'est pas appréciée des patrons de presse, ni de certains lecteurs de journaux. On accuse le syndicat des Ouvriers du Livre de refuser le progrès technique, de s'enfermer dans des pratiques de travail malthusiennes, de bénéficier de privilèges, etc.

Les Ouvriers du Livre se défendent. Ils ne sont, d'après eux, ni opposés au progrès technique, ni à la modernisation des entreprises de presse, mais ils veulent que cela se fasse par des négociations et que cela n'entraîne pas une diminution du personnel.

Vous êtes le représentant de ce syndicat et l'on vous interroge à ce sujet :

Q./ Vous ne pensez pas qu'en vous opposant à la modernisation du travail dans les entreprises, vous adoptez une attitude très rétrograde qui va contre tout le mouvement de progrès technique que l'on observe un peu partout ?

Répondez.

S'EXPLIQUER (2)

Se faire comprendre n'est pas toujours facile. Nous venons de voir pourquoi. La difficulté de communiquer peut aussi provenir de l'usage que vous faites de certains mots, de certaines expressions auxquels vous ne donnez pas le même sens que votre ou vos interlocuteurs, ce qui peut provoquer de graves malentendus.

Dans ce cas vous devrez :

— soit élucider le sens de ce mot, c'est-à-dire le traduire en d'autres termes mieux connus de votre auditeur,

— soit préciser le sens exact que vous lui donnez.

Vous le ferez si votre interlocuteur vous le demande. Vous pourrez le faire aussi spontanément, c'est-à-dire sans attendre que l'on vous demande des précisions. Il est important de prévoir les difficultés pour y porter remède sans attendre.

ÉLUCIDER

LE THÉATRE SE MEURT ?

Le théâtre en France se porte assez mal. Salles de théâtre qui ferment, troupes théâtrales qui ont beaucoup de mal à vivre, spectateurs dffiiciles à satisfaire, auteurs que l'on cherche. Le théâtre est en crise.

Vous êtes animateur d'une troupe et l'on vous interroge à ce sujet.

Vous dites :

— Je crois qu'il faut d'abord distinguer les problèmes et considérer d'une part ce que l'on pourrait appeler un théâtre « intellectuel », un théâtre de recherche, un théâtre d'effort et d'autre part ce que l'on appelle le théâtre de boulevard.

OU BIEN

Demande d'élucidation Q./ Mais **qu'entendez-vous** exactement par théâtre de boulevard ?

1/ Pour moi, théâtre de boulevard **veut dire** théâtre facile.

2/ Théâtre de boulevard ? **J'entends par là** un théâtre facile.

3/ **J'entends par** théâtre de boulevard un théâtre facile.

4/ Théâtre de boulevard **signifie pour moi** théâtre facile.

5/ Pour moi, le théâtre de boulevard **c'est un** théâtre facile.

Demande d'élucidation Q./ Théâtre facile ? | **Comment cela ?**
 Que voulez-vous dire ?
 Qu'est-ce que cela signifie ?

6/ Théâtre facile ? **Je veux dire par là** un théâtre qui veut faire rire par n'importe quel moyen.

7/ Théâtre facile **au sens de** théâtre qui veut faire rire par n'importe quel moyen.

ou bien, comme autre type de réponse, plus globale :

Q./ Mais **que voulez-vous dire par** théâtre de boulevard?

8/ Le théâtre de boulevard **est un** théâtre qui veut plaire à n'importe quel prix, qui veut faire rire par n'importe quel moyen, **bref** un théâtre facile.

9/ Le théâtre de boulevard **est un** théâtre qui veut plaire à n'importe quel prix, qui veut faire rire par n'importe quel moyen, **en un mot** un théâtre facile.

10/ Le théâtre de boulevard **est un** théâtre facile qui veut plaire à n'importe quel prix, qui veut faire rire par n'importe quel moyen, un théâtre facile **en somme.**

Dans ce dernier cas, la dernière expression : **bref, en somme, en un mot,** reprend les éléments précédents qui permettent de justifier la définition : **théâtre de boulevard = théâtre facile.**

EXERCICES

Pour vous, théâtre intellectuel, théâtre d'effort = théâtre qui exige un grand effort d'attention, de concentration, qui ne cherche pas seulement à faire rire.

On vous pose la question :

Q./ Mais, **qu'entendez-vous** exactement par théâtre intellectuel?

Que répondrez-vous?

Expliquer revient aussi à établir une égalité entre deux éléments, deux notions ou deux idées. Par exemple, on vous pose la question suivante :

Q./ Comment expliquez-vous cette crise du théâtre?

1/ Il y a actuellement dans la région parisienne trois millions de foyers équipés d'un poste de télévision, **c'est-à-dire** autant de spectateurs potentiels[1] en moins pour le théâtre.

1. Les spectateurs potentiels sont ceux qui peuvent être intéressés par le théâtre.

2/ Il y a actuellement dans la région parisienne trois millions de foyers équipés d'un poste de télévision, **autrement dit** autant de spectateurs potentiels en moins pour le théâtre.

3/ Il y a actuellement dans la région parisienne trois millions de foyers équipés d'un poste de télévision, **cela veut dire (cela signifie)** autant de spectateurs potentiels en moins pour le théâtre.

De la même manière, on peut avoir à représenter une idée à l'aide d'une comparaison, d'une illustration qui aidera l'auditeur à mieux comprendre.

Q./ Comment peut-on à votre avis faire pour changer une telle situation?

1/ Il faudrait tout d'abord que le théâtre ne soit pas seulement une salle de spectacle mais un lieu vivant, **c'est-à-dire** un lieu de rencontre et de discussion entre acteurs et spectateurs, entre les créateurs et le public.

2/ Il faudrait tout d'abord que le théâtre ne soit pas seulement une salle de spectacle mais un lieu vivant **ou, si vous préférez,** un lieu de rencontre et de discussion entre acteurs et spectateurs, entre les créateurs et le public.

3/ Il faudrait tout d'abord que le théâtre ne soit pas seulement une salle de spectacle mais un lieu vivant, **une espèce de (une sorte de)** lieu de rencontre et de discussion entre acteurs et spectateurs, entre les créateurs et le public.

4/ Il faudrait tout d'abord que le théâtre ne soit pas seulement une salle de spectacle mais un lieu vivant **ou disons plutôt** un lieu de rencontre entre acteurs et spectateurs, entre les créateurs et le public.

CORRIGER

Expliquer, ce peut être aussi apporter une précision sur un aspect de votre pensée qui risque d'avoir été mal compris. On a mal compris, par exemple, votre intervention sur le rôle de la télévision dans la crise du théâtre. On vous pose la question suivante :

Q./ Vous accusez la télévision d'enlever des spectateurs au théâtre. Mais on ne peut quand même pas supprimer la télévision pour faire revenir les gens au théâtre ?

1/ Certainement pas.
Bien sûr que non.
Évidemment pas. **Ce que je voulais dire, c'est que (c'est ceci :)** la télévision, au lieu simplement de concurrencer le théâtre, pourrait l'aider à mieux se faire connaître, notamment auprès des jeunes.

2/ Non, **mais je voulais dire ceci :** la télévision, au lieu de faire simplement concurrence au théâtre, devrait l'aider à mieux se faire connaître, notamment auprès des jeunes.

3/ **Je ne sais pas si je me suis fait bien comprendre**
Je ne sais pas si j'ai été très clair(e) :
ce que je voulais dire, c'est que la télévision, au lieu de faire simplement concurrence au théâtre, devrait l'aider à mieux se faire connaître, notamment auprès des jeunes.

Préciser, ce sera enfin distinguer un aspect particulier dans un ensemble.

Q./ Pour conclure, peut-on alors parler d'une crise profonde du théâtre ?

1/ Non, pas vraiment (pas tout à fait). **Pour être plus précis,** il faudrait parler de la crise du théâtre en France sous sa forme traditionnelle, car à l'étranger il se porte très bien et la jeunesse manifeste beaucoup d'intérêt à son égard.

2/ Non, **plus précisément** il faudrait parler de la crise du théâtre en France sous sa forme traditionnelle, car à l'étranger il se porte très bien et la jeunesse manifeste beaucoup d'intérêt à son égard.

3/ Non, il faudrait parler **plus exactement (plus précisément)** de la crise du théâtre en France sous sa forme traditionnelle, car à l'étranger il se porte très bien et la jeunesse manifeste beaucoup d'intérêt à son égard.

EXERCICE

1/ Il peut vous arriver, au cours d'une conversation, d'utiliser certains mots dont le sens est large, trop large même. On peut alors vous demander de les préciser.

Par exemple si on vous demandait .

— Pour vous **la démocratie
la liberté
le bonheur
l'aventure
le progrès
l'amour
le bonheur
être un homme
être une femme
la justice**   qu'est-ce que c'est?

Dans chacun de ces cas, qu'est-ce que vous répondriez?

2/ Vous estimez que la vie dans les villes actuelles devient insupportable. Vous souhaiteriez une vie plus équilibrée, au contact de la nature. (Mais cela ne signifie pas le retour à la terre, à un mode de vie, à une société archaïques).

On vous dit :
— Comment ? Mais vous souhaitez alors le retour à la terre ? Vous voulez tourner le dos au progrès ?

Vous corrigez. Que direz-vous ?

3/ Bien des Français se déclarent opposés à la pratique de la chasse. Vous, vous estimez que cette pratique n'a rien de condamnable (à condition toutefois de ne pas tourner au massacre de tout le gibier).

On vous dit :
— Comment ? Vous trouvez normal que l'on massacre ainsi des animaux sans défense ?

Vous corrigez. Que direz-vous ?

4/ Vous trouvez qu'il y a trop de camions poids lourds sur les routes. Ils abîment le réseau routier et sont responsables d'un grand nombre d'accidents. Selon vous, il faudrait transférer une grande partie du trafic de marchandises à la voie d'eau et au rail (mais vous ne souhaitez pas supprimer pour autant tous les camions qui, dans certains cas, jouent un rôle important).

On vous dit :
— Comment ? Vous voulez faire disparaître des entreprises qui rendent de grands services, condamner ainsi au chômage quantité de travailleurs !

Vous corrigez. Que direz-vous ?

ILLUSTRER

Vous pouvez avoir à citer des faits ou des chiffres à l'appui de votre démonstration. Mais ces faits, ces chiffres, s'ils ne correspondent pas à l'expérience quotidienne, risquent de ne pas signifier grand-chose. Il est nécessaire, dans ce cas-là, pour être mieux compris, d'illustrer ces chiffres à l'aide d'éléments connus de votre auditoire.

Intention : vous voulez attirer l'attention sur le nombre très élevé de morts et de blessés provoqués chaque année par les accidents de la route. Les chiffres ne suffisent pas. Il faut les « faire parler »; vous direz :

1/ Chaque année, les accidents de la route font un peu plus de 15 000 morts,
ce qui revient à dire que
ce qui veut dire que
c'est-à-dire que tous les ans disparaît la population d'une ville comme Rambouillet ou Mazamet.

2/ Chaque année, les accidents de la route font un peu plus de 15 000 morts, **c'est exactement comme si** tous les ans disparaissait la population d'une ville comme Rambouillet ou Mazamet.

3/ Chaque année, les accidents de la route font un peu plus de 400 000 blessés,
c'est-à-dire
en d'autres termes
autrement dit
soit l'équivalent de la population d'une ville comme Bordeaux.

Intention : vous voulez montrer que la construction d'une centrale nucléaire est pour la France une opération très intéressante. Or la France manque de pétrole. Vous direz :

1/ Construire une centrale nucléaire de 1 000 MW[1] **revient à** découvrir un gisement de pétrole produisant 1,5 MT[2] par an.

2/ Construire une centrale nucléaire, **si vous voulez, c'est** découvrir un gisement de pétrole produisant 1,5 MT par an.

3/ Construire une centrale nucléaire de 1 000 MW, **c'est comme si** vous découvriez un gisement de pétrole produisant 1,5 MT par an.

EXERCICES

Voici des chiffres et ce qu'ils représentent :

1/ Par suite de l'expansion des villes et des autoroutes, les terres agricoles disparaissent en France au rythme de 100 000 hectares par an.
Intention : ce phénomène vous inquiète. Or 100 000 hectares = 10 fois la superficie de Paris. Que direz-vous ?

2/ Chaque année, plus de 2 000 000 de tonnes de pétrole sont rejetées à la mer.
Intention : cette pollution vous inquiète, car ce chiffre est très élevé. 2 000 000 de tonnes = 6 jours de consommation pour un pays comme la France.
Que direz-vous ?

3/ L'automobile dévore le paysage. En effet, le réseau routier en France occupe une superficie de 3 400 km[2].
Intention : ceci vous paraît considérable, en effet 3 400 km[2] = la superficie réunie des départements de l'Essonne, du Val-d'Oise, des Hauts-de-Seine et de la Seine-Saint-Denis[3].
Que direz-vous ?

1. MW = mégawatt. 1 mégawatt = 1 million de watts.
2. MT = 1 million de tonnes.
3. Départements de la banlieue parisienne.

DONNER UN EXEMPLE

Donner un exemple c'est, à partir d'une proposition à valeur générale, passer à l'étude d'un cas particulier destiné à illustrer cette proposition. Un exposé qui risque ainsi de rester trop abstrait, grâce aux exemples, prend un tour plus vivant.

L'ÉGALITÉ DE L'HOMME ET DE LA FEMME

Tout le monde en parle et pour beaucoup la question semble définitivement réglée : hommes et femmes sont égaux.

Vous n'êtes pas d'accord. A cet effet, vous allez **donner des exemples**.

1 / L'image de la femme dans la bande dessinée.

— La situation de la femme a **certes** évolué ces derniers temps, **mais** nous sommes encore loin de l'égalité véritable.

L'image de la femme dans la bande dessinée **illustre bien** cette situation. On la traite soit comme une faible femme, soit comme un objet sexuel.

— La situation de la femme a certes évolué ces derniers temps, mais nous sommes encore loin de l'égalité réelle.

Je prendrai, si vous le voulez bien, l'exemple de l'image de la femme dans la bande dessinée. On la traite soit comme une faible femme, soit comme un objet sexuel.

— La situation de la femme a certes évolué ces derniers temps, mais nous sommes encore loin de l'égalité véritable.

L'image de la femme dans la bande dessinée **en est un bon exemple**. On la traite soit comme une faible femme, soit comme un objet sexuel.

2 / La femme et l'architecture.

— La situation de la femme a certes évolué ces derniers temps, mais nous sommes encore loin de l'égalité véritable.

Tenez, pour ne prendre qu'un exemple, on ne connaît actuellement dans la profession d'architecte que 3 % de femmes.

— La situation de la femme a certes évolué ces derniers temps, mais nous sommes encore loin de l'égalité véritable.

Le fait que l'on ne compte que 3 % de femmes dans la profession d'architecte **a valeur d'exemple.**

— La situation de la femme a certes évolué ces derniers temps, mais nous sommes encore loin de l'égalité véritable. **Je prendrai, si vous le voulez bien, un exemple** : dans la profession d'architecte on ne compte que 3 % de femmes.

— La situation de la femme a certes évolué ces derniers temps, mais nous sommes encore loin de l'égalité véritable. **Ainsi** dans la profession d'architecte, on ne compte que 3 % de femmes.

3 / La femme et la « grande cuisine ».

— La situation de la femme a certes évolué ces derniers temps, mais nous sommes encore loin de l'égalité véritable.

C'est ainsi que dès la cuisine devient un art, on la retire aux femmes et on en fait un monopole masculin.

— La situation de la femme a certes évolué ces derniers temps, mais nous sommes encore loin de l'égalité véritable.

En voici un exemple : dès que la cuisine devient un art, on la retire aux femmes et on en fait un monopole masculin.

ÉTUDE DE CAS

Il peut arriver aussi que l'exemple que l'on a à citer ne puisse pas rentrer dans le cadre d'une seule phrase. Il faut le développer, en étudier tous les aspects. Cela peut devenir une véritable étude de cas. Comment peut-on l'exprimer ?

Comment acquérir un logement ?

Tout Français rêve de posséder sa petite maison (cf. p. 44), mais c'est un rêve qui, d'année en année, devient plus coûteux.

On interroge à ce sujet un spécialiste de la question. Il va s'inspirer du cas exposé à la page 29. Il pourra dire :

L'INTÉRÊT DES PIC

Nicole et Michel C. — un fils, Stéphane — ont signé en janvier dernier l'achat d'un pavillon de cinq pièces (108 m² habitables et 475 m² de jardin) construit par SPIM à Bondoufle, près d'Évry. Prix : 350 000 F, couverts par l'apport personnel, un prêt de l'employeur et un crédit PIC de 215 000 F remboursable en vingt ans. Nicole, employée de presse, et Michel, cadre technicien en téléphone, ont un revenu mensuel de 8 500 F. La mensualité de remboursement de leur prêt immobilier conventionné est actuellement de 2 350 F.

Acheter une maison? Ça n'a rien d'impossible.

Tenez,
Si vous le voulez bien,

imaginons
imaginez
prenons l'exemple d'un couple, lui cadre technicien, elle employée de presse.

J'imagine
Imaginez
Imaginons que leur revenu mensuel global soit d'environ 8 500 F par mois.

Je suppose
Supposons
Admettons qu'ils achètent un pavillon, un cinq-pièces, 350 000 F.

Si | **j'imagine**
| **je suppose** que leur apport personnel est de 135 000 F **et qu'**ils contractent un prêt de 215 000 F remboursable en vingt ans, cela leur fera un remboursement mensuel de 2 350 F.

Formule montrant que l'on s'adresse directement à l'auditeur

EXERCICES

LE TOURISME ET LES CAMPAGNES

Le tourisme rural est actuellement à la mode. Les gens redécouvrent les plaisirs de la campagne après être allés longtemps en vacances au bord de la mer.

Il y a là un phénomène social dont les caractéristiques sont les suivantes :
— le tourisme rural connaît une très forte expansion ;
— pour beaucoup de villages, le tourisme rural est une chance de survie ;
— tous les agriculteurs n'acceptent pas facilement l'arrivée des touristes ;
— le tourisme est responsable de l'augmentation du prix des terres ;
— l'été, dans certains villages, il arrive que la population soit multipliée par cinq, parfois par dix.

Voici d'autre part un certain nombre de données précises, de cas particuliers. Essayez de les relier aux énoncés précédents en les donnant comme exemples :
— dans le Périgord, en deux ans, le prix des terrains a augmenté de 65 %, ce qui pose bien des problèmes aux jeunes agriculteurs ;
— Najac, dans l'Aveyron, est un village qui compte trois cents habitants en hiver et plus de deux mille l'été ;
— en France, en 1976, on a compté dix millions de touristes en milieu rural ;
— il y a parfois des incidents en Ardèche avec les touristes hollandais.

LES GITES RURAUX

Pour accueillir les touristes, la campagne ne dispose pas d'hôtels nombreux comme dans les grandes stations du bord de mer. Une solution possible : aider les paysans à aménager leur logis pour accueillir ces touristes. Il s'agit là de gîtes ruraux. Pour certains, ces gîtes ruraux permettent d'aider de façon efficace les paysans en leur procurant des revenus supplémentaires assez importants.

Est-ce bien vrai ? Étudions le cas d'un paysan qui veut ouvrir chez lui un gîte rural :
— investissement : entre 50 000 et 100 000 F ;
— charges, remboursement d'emprunt (par an) : entre 5 000 et 10 000 F ;
— durée d'exploitation annuelle (juillet, août, sept.) : 75 jours.

Conclusion : le paysan gagne juste de quoi rembourser ses frais. Alors ?

Vous faites l'exposé de ce cas. Que direz-vous ?

ACTES

Parler pour convaincre c'est être capable, en présence d'un interlocuteur, d'entreprendre un certain nombre d'actes de parole grâce auxquels vous pourrez faire connaître votre avis, donner votre position, essayer bien évidemment de la justifier, essayer aussi de vous opposer efficacement aux arguments de votre adversaire.

Il faudra ainsi savoir :

DONNER SON AVIS

Tirer son énergie du soleil! Un rêve vieux comme le monde, qui commence cependant à se réaliser. Mais il ne s'agit encore que de projets limités, d'expériences.

On parle bien de la mise au point de grandes centrales nucléaires. Mais rien n'est encore sûr.

Quel peut être alors l'avenir de l'énergie solaire? On interroge à ce sujet un certain nombre de personnes. Comme elles ne peuvent pas répondre de façon précise, elles se contentent de donner leur avis, de faire part de leur opinion.

1/ L'énergie solaire? Ce n'est pas pour demain. **C'est du moins mon opinion (c'est là mon opinion).**

2/ Moi, personnellement, je pense que l'énergie solaire a un très grand avenir devant elle.

3/ Pour ma part, il me semble que l'énergie solaire ne pourra pas être utilisée pour autre chose que la production d'eau chaude pour la maison.

4/ Mon idée, c'est que
Mon sentiment, c'est que
Mon opinion, c'est que | si l'on parvient à abaisser les coûts de fabrication des appareils solaires, il sera possible d'exploiter l'énergie du soleil.

5/ A mon avis, il ne faut pas compter beaucoup sur l'énergie solaire, du moins en Europe, à cause des périodes fréquentes de mauvais temps.

6/ A mon point de vue, je ne crois pas que l'on puisse mettre au point des centrales solaires de grande dimension. Par contre, il peut être possible de trouver des applications à des dimensions plus modestes, comme pour les chauffe-eau des maisons.

7/ Il me semble que d'ici quelques années, avec les progrès qui pourront être faits, il sera possible d'exploiter dans de bonnes conditions l'énergie solaire.

On peut aussi marquer de façon encore plus nette sa prise de position personnelle :

8/ Je suis convaincu que l'énergie solaire, d'ici quelques années, sera une énergie rentable.

9/ **Je suis persuadé**
certain
sûr | **que,** si l'on explique au public tout ce que l'on peut tirer de l'énergie solaire, on s'apercevra alors qu'il s'agit là d'une source d'énergie extrêmement intéressante.

10/ **Pour moi,** l'énergie solaire restera toujours une source d'énergie secondaire. Il ne faut pas compter sur elle pour remplacer le pétrole. **Telle est du moins ma conviction.**

EXERCICES

1/ La France, ainsi que la plupart des pays du monde occidental, traverse une crise économique grave, qui se manifeste surtout par l'existence d'un chômage extrêmement important. La situation est inquiétante. Va-t-elle se prolonger longtemps ainsi?

On vous interroge à son sujet :
— D'après vous, cette crise doit-elle encore durer longtemps?

Que pouvez-vous répondre?

2/ Il existe actuellement en France un chômage élevé, surtout chez les jeunes.

Les explications fournies sont extrêmement nombreuses. Parmi les plus fréquemment citées, on relève :
— l'absence de qualification des jeunes au sortir de l'école ou de l'université;
— le refus des jeunes d'exercer un travail manuel;
— la concurrence de plus en plus forte des pays du tiers monde;
— la présence de plus en plus nombreuse de femmes sur le marché du travail;
— la hausse extraordinaire des coûts de production qui conduit bien des entreprises à fermer;
etc.

On vous interroge à ce sujet :
— Selon vous, à quelle cause faut-il attribuer l'existence du chômage actuel en France?

Que pouvez-vous répondre?

3/   QUE FAIRE SI...

Être père ou mère de famille n'est pas aussi facile qu'on peut le penser. Entre les principes généraux et la réalité de ce qu'il faut faire, il y a souvent un écart considérable. Imaginons en effet que vous soyez père ou mère d'un garçon ou d'une fille de quinze ans. Que faudrait-il faire selon vous si...

— il/elle voulait qu'on lui achète une puissante moto,
— il/elle voulait sortir le soir avec des amis,
— il/elle ne voulait plus aller au collège ou au lycée,
— il/elle désirait partir seul(e) en vacances,
— il/elle voulait désormais vous appeler par votre prénom,
— il/elle voulait être acteur(trice) ou chanteur(euse) de variétés et rien d'autre,
— il/elle exigeait d'avoir une vie sexuelle totalement libre,
— il/elle se mettait à fumer des cigarettes,
— il/elle avouait être attiré(e) par la marijuana ou le hasch.

Pour chacun de ces cas, quelle serait votre réponse?

4/   UNE DÉCISION

Un ami vient vous voir pour vous demander conseil. Il travaille dans une société qui lui propose de partir s'installer à l'étranger pour monter une nouvelle filiale. Le marché représenté par ce pays est très prometteur, mais se révèle très difficile à conquérir.

Tous les espoirs sont donc permis. Si votre ami réussit, tout ira très bien pour lui. Il bénéficiera de promotions, d'augmentations de salaires... Mais en cas d'échec, son avenir dans la société risque d'être fort compromis.

D'un côté, la possibilité d'un avenir intéressant. De l'autre des risques évidents sans compter les problèmes familiaux (problèmes de scolarisation des enfants dans un pays étranger, difficulté de trouver un travail pour l'épouse...).

Selon vous que doit-il faire? Que lui direz-vous?

5/   LA VIE PROFESSIONNELLE

Les raisons pour lesquelles on peut choisir un métier sont multiples. En voici un certain nombre :

— exercer une profession bénéficiant d'un grand prestige,
— être bien payé,
— bénéficier d'un emploi sûr, même si l'on est médiocrement payé,
— être indépendant,
— pouvoir s'épanouir en accomplissant un travail qui corresponde aux goûts personnels,

— avoir des responsabilités.

D'après vous, qu'est-ce qui est le plus important?

6/ POUR UNE FEMME, LE PLUS IMPORTANT...

Voici un certain nombre de qualités que l'on peut trouver chez une femme :
— beauté, charme,
— intelligence,
— dévouement,
— gentillesse,
— tendresse,
— gaieté,
— humour,
— ambition,
— dynamisme,
— distinction, élégance,
— spontanéité.

Pour vous, madame ou mademoiselle, quelle est celle qui vous paraît la plus importante?

Vous monsieur, êtes-vous du même avis?

7/ LE MASSACRE DES ANIMAUX À FOURRURE

Les animaux à fourrure (phoques, renards, loups, tigres, panthères, etc.), sont de plus en plus chassés, souvent de façon très cruelle — songeons à l'affaire des bébés phoques —; si cela continue ainsi, dans quelques années, certaines espèces auront complètement disparu de la surface du globe.

Cela suscite de plus en plus l'indignation des gens. Mais que faire? Et d'abord à qui s'attaquer? Qui sont les vrais coupables?

Qui sont les coupables?

CEUX QUI TUENT

Faut-il accuser les hommes qui tuent? Le garde-chasse en France qui touche une prime pour les peaux de renard? Le chasseur de phoques canadien qui gagne ainsi sa vie? Le braconnier du Kenya qui risque la prison pour de l'argent?

CEUX QUI TRAITENT

Faut-il accuser les pelletiers? Ces hommes et ces femmes gagnent leur vie en préparant les fourrures à devenir des manteaux. Ils connaissent toutes les techniques pour rendre une fourrure à l'état brut douce, brillante, gonflante.

Donnez votre avis.

CEUX QUI PORTENT

Faut-il accuser les hommes et les femmes qui ont l'envie et les moyens d'acheter des manteaux de fourrure? Dès que l'hiver approche, on en voit dans la rue, dans les vitrines. C'est beau, un manteau de fourrure. On a envie de le toucher, de le caresser.

CEUX QUI FONT LE COMMERCE

Ou bien faut-il accuser ceux qui sont à l'origine du commerce de la fourrure : les grands fourreurs, les importateurs, les grossistes, les grands couturiers?

Okapi, n° 148.

CONCÉDER

Il est des sujets sur lesquels il est difficile de porter un jugement unique et définitif. D'une part on désapprouve, on condamne, mais de l'autre, on ne peut nier, sous peine d'être accusé d'ignorance ou de paraître de mauvaise foi, l'existence de données ou de facteurs favorables.

Il faut donc savoir faire la part des choses et reconnaître à son interlocuteur la validité de certains de ses arguments. On concède, c'est-à-dire que l'on admet que, sur certains points, il peut avoir raison. Mais ce sera pour mieux faire porter sa critique par la suite.

BEAUBOURG

Il y a quelque temps vient de s'ouvrir à Paris ce que l'on appelle officiellement le **Centre national d'art et de culture Georges-Pompidou.** Et comme il a été édifié sur le plateau Beaubourg, tout près de l'ancien quartier des Halles, les gens l'appellent plus familièrement Beaubourg.

Et Beaubourg est loin de faire l'unanimité. Les avis sont très partagés et peuvent se résumer ainsi :

POUR

— L'architecture de Beaubourg est très originale et en avance sur son époque.

— Beaubourg représente un véritable exploit technique avec ses 166 m de façade, ses 42 m de haut, sa conception en poutrelles d'acier.

— Beaubourg redonne vie à un quartier de Paris qui jusqu'alors avait été assez négligé.

CONTRE

— Beaubourg ressemble plus à une raffinerie de pétrole ou à un parking qu'à un centre culturel.

— Beaubourg est en rupture totale avec le paysage d'un des plus anciens quartiers de Paris.

— Vouloir rassembler des arts aussi différents que le théâtre, la musique, la peinture, les arts plastiques, ne mènera à rien.

— Beaubourg va réunir en un même lieu des activités artistiques jusqu'alors séparées (musique, peinture...).

— Beaubourg va donner un nouvel élan à la vie artistique à Paris.

— Ce que coûte Beaubourg représente l'équivalent de 130 km d'autoroute, ce qui n'est pas une somme considérable.

— Pendant ce temps, la vie culturelle en province reste toujours aussi pauvre.

— Les musées traditionnels, comme le Louvre, manquent d'argent. La musique, les troupes de théâtre ne disposent que de crédits très limités. Il aurait été plus utile de leur venir en aide que de construire Beaubourg.

Situation : vous n'êtes pas favorable à l'opération Beaubourg. On vous interroge à son sujet, en vous présentant à chaque fois un élément positif. Vous répondez.

POSITION

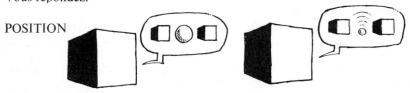

L'architecture de Beaubourg est **tout de même** très originale, **vous ne pouvez le nier ?**

Concéder   R./ **Il est certain que**
Il est exact que
Il est vrai que l'architecture de Beaubourg est particulièrement originale et très en
S'opposer   avance sur son époque. | **Mais**
| **N'empêche que**
Insister | **Cependant,**
avouez-le, il ressemble plus à une raffinerie de pétrole ou à un parking qu'à un centre culturel.

Concéder   R./ L'architecture de Beaubourg est particulièrement originale et très en avance sur
son époque, | **je l'admets volontiers**
| **je dois l'admettre**
S'opposer | **je dois l'avouer ; mais, recon-**
naissez-le, il ressemble plus à une raffinerie de pétrole ou à un parking qu'à un centre culturel.

Q./ **Reconnaissez qu'**avec Beaubourg, ce quartier jusqu'alors plutôt délaissé va reprendre vie, non ?

R./ Ce vieux quartier de Paris grâce à Beaubourg va reprendre vie,
Concéder | **c'est vrai**
| **c'est exact**
| **c'est incontestable**
S'opposer | **je l'admets** | **Cela dit,** il reste que ce bâtiment est en rupture totale avec le paysage du quartier.

Q./ Beaubourg va permettre de réunir en un même lieu des activités artistiques jusqu'alors séparées comme la musique, les arts plastiques, la peinture... **C'est intéressant, non ?**

Concéder	**R./**	**Effectivement** **Certes** **En effet** **En principe,** Beaubourg doit réunir en un même endroit des activités telles que la musique, la peinture, les arts plastiques.
S'opposer		**Cependant** **Pourtant,** il faut bien reconnaître que jusqu'ici ce genre de tentative n'a guère donné de résultats.

Q./ Beaubourg va redonner un élan à la vie artistique à Paris, **c'est incontestable, non?**

Concéder **R./** Que Beaubourg redonne un élan à la vie artistique à Paris,
| **je veux bien**
| **si vous voulez**
| **je ne le nie pas**
| **d'accord sur ce point**

S'opposer | **admettons, ça n'empêche pas tout de même (quand même)** que pendant ce temps-là, la vie culturelle en province reste toujours aussi pauvre.

Q./ Beaubourg ne représente au total que l'équivalent de 130 km d'autoroute. **Admettez** qu'il ne s'agit pas là d'une somme considérable.

Concéder **R./** | **Tout à fait d'accord avec vous.**
| **D'accord avec vous sur ce point.** Beaubourg ne représente que l'équivalent de 130 km d'autoroute, ce qui après tout n'est pas une somme considérable.

S'opposer **Mais** | **tout de même**
| **quand même,** pendant ce temps-là, les crédits réservés aux musées traditionnels tels que le Louvre restent toujours aussi insuffisants.

EXERCICE

1/ Vous êtes favorable à l'opération Beaubourg, malgré ses défauts et ses inconvénients. On vous interroge à son sujet en vous présentant à chaque fois un élément négatif.

Vous pouvez répondre...

Q./ L'architecture de Beaubourg est, avouez-le, assez curieuse pour un centre culturel, vous ne pouvez le nier ?

R./ Il est certain que

Il est exact que

Il est vrai que, à première vue, Beaubourg ressemble plus à une raffinerie de pétrole ou à un parking qu'à un centre culturel, mais...

Vous continuez à défendre Beaubourg malgré les critiques. Que direz-vous ?

2/

FINALEMENT, C'EST BIEN, CETTE MAJORITÉ A 18 ANS ?

Depuis juillet 1974, les jeunes de 18 ans ont été rendus majeurs, c'est-à-dire qu'ils peuvent voter, être désormais entièrement responsables d'eux-mêmes.

Cette mesure a-t-elle changé beaucoup de choses ?

D'un côté, il y a des avantages :

— on peut voter,

— on peut quitter librement le domicile de ses parents,

— on peut signer soi-même ses papiers administratifs,
mais...

— voter, ce n'est pas changer la vie,

— on ne possède pas toujours à cet âge les moyens financiers de vivre seul.

Alors ? Vous venez d'avoir 18 ans. On vous interroge et on vous demande ce que représente pour vous le fait d'être majeur. Qu'allez-vous pouvoir répondre ?

3/ D'après un récent sondage, il apparaît que :

LES FRANÇAIS
VEULENT TRAVAILLER

et qu' :

ILS RESPECTENT LE TRAVAIL
ILS SONT PRÊTS A TRAVAILLER DAVANTAGE
ILS PRÉFÈRENT LA PROMOTION AU LOISIR

Mais vous n'êtes pas entièrement d'accord avec de telles affirmations. Vous savez aussi que :

— les jeunes refusent les travaux pénibles, peu intéressants, mal payés;

— les gens ne veulent pas travailler n'importe où;

— le travail manuel n'attire guère les Français.

Que répondrez-vous à celui qui affirme que les Français veulent travailler, que les Français continuent à aimer le travail?

4/ La vie sexuelle des Français a-t-elle connu ces dernières années une véritable révolution, ainsi que le prétendent certains?

Les faits :

— des « sex-shops » se sont ouvertes un peu partout,

— des films pornographiques sont à l'affiche de très nombreux cinémas,

— on commence à donner dans les écoles des cours d'éducation sexuelle,

— la pilule est utilisée par un nombre de plus en plus important de femmes,

— l'avortement est autorisé par la loi.

Mais il n'y a pas eu, comme certains l'annonçaient, de bouleversements complets dans les mœurs. Les Français continuent à se marier, à avoir des enfants et la cellule familiale paraît toujours aussi solide.

Alors, que pourrez-vous répondre à ceux qui affirment que la révolution sexuelle a eu sur la vie des Français des conséquences énormes?

Inversons le débat. Certains pensent qu'il n'y a eu rien de vraiment changé dans la vie des Français du fait de la révolution sexuelle. Pour une part, vous pensez que c'est vrai. Mais vous insistez sur le fait que ces bouleversements ont surtout touché la vie privée des Français, leur comportement individuel.

Que pourrez-vous dire alors?

LA MAISON INDIVIDUELLE

— Logements construits en France en 1976 :

— maisons individuelles :
325 000 (+ 25 % qu'en 1975),

— immeubles collectifs :
260 000 (— 7 %).

— Les sondages montrent aussi que 80 % des Français souhaitent vivre dans une maison individuelle.

MAIS

— c'est le « mitage », il y a des maisons partout,

— les terres agricoles disparaissent,

— la forêt est débitée en parcelles,

— le littoral se ferme,

— les villes sont entourées de banlieues qui s'étendent à l'infini.

On vous dit alors :

— il faut absolument offrir aux Français le type de logement qu'ils souhaitent.

S'ils veulent tous habiter en maison individuelle, qu'on leur construise alors ce qu'ils demandent.

Que pourrez-vous répondre ?

MINIMISER

Il y a des positions qui sont parfois difficiles à défendre. Les faits sont là. Il serait maladroit de les nier. On sait d'autre part que les gens qui vous écoutent ne vous sont guère favorables. Ils feront tout pour essayer d'accroître l'importance des faits qu'ils vous reprochent. Il ne faut pas espérer les convaincre. On restera donc sur la défensive, c'est-à-dire que l'on reconnaîtra les faits, mais on cherchera à en diminuer l'importance, à les ramener à de plus justes proportions, à les minimiser. Être sur la défensive ne veut pas dire pour autant rester inactif, bien au contraire.

LA POLITIQUE
AU LYCÉE

Les autorités, ainsi qu'une partie de l'opinion publique française s'inquiètent de la pénétration de la politique dans les lycées. Ils accusent certains enseignants de vouloir endoctriner leurs élèves, de ne pas respecter la neutralité de l'école, de transformer la classe en un forum politique permanent. On cite des cas de professeurs qui font étudier à leurs « élèves » des textes orientés, qui veulent imposer leur vérité à la classe.

A l'occasion d'une enquête, un journaliste interroge un certain nombre d'enseignants, de chefs d'établissement, dont la position est la suivante :

— ils admettent les faits sur certains points,
— mais ils en minimisent l'importance.

QUESTION : On reproche à l'enseignement actuel et aussi à bien des enseignants d'accorder une place trop grande à la politique, de vouloir endoctriner les élèves.

Qu'en pensez-vous?

1/ Minimiser les faits

On admet les faits au niveau des individus, non du système dans son ensemble	**Il y a eu sans doute** **On peut certes citer** des cas de professeurs qui donnent à leurs cours une orientation politique très nette. **Mais il ne s'agit là que de cas isolés.**

Il existe des professeurs qui donnent à leurs cours une orientation politique très nette. | **Ces cas sont peu nombreux.**
| **Ces cas sont le fait d'un nombre très limité de personnes...**

C'est très marginal
Ce n'est pas représentatif de l'ensemble des enseignants
Ce n'est pas significatif.

On s'adresse directement à l'interlocuteur	**Il ne faut rien exagérer** **Soyons sérieux, voulez-vous?** Les cas que vous m'avez cités | **sont peu nombreux** **sont isolés** **sont marginaux.**

Il serait \| **dangereux**
regrettable
malhonnête de généraliser. Je

Présentation d'un contre-exemple	connais **au contraire** énormément d'enseignants qui évitent tout excès en ce domaine.

2/ Déplacer l'objet du problème

C'est vrai que s'il existe des cas de politisation évidente des cours chez certains professeurs, \| **on notera aussi**
on n'oubliera pas de signaler

que l'administration elle-même, les programmes, ne sont pas toujours neutres.

S'il est vrai qu'il existe des cas de politisation évidente des cours chez certains professeurs, **la responsabilité en revient aux**
cela est dû aux conditions actuelles de notre enseignement. Les jeunes sont beaucoup plus sensibles qu'autrefois aux controverses politiques du monde des adultes.

EXERCICES

1/ Les maires des villes de France, comme bien des gens d'ailleurs, sont inquiets de la montée de la violence, dans les grandes villes surtout.

Or, il apparaît que :

— le nombre de crimes de sang a diminué depuis le début du siècle et n'a pas augmenté depuis 1960;

— la vie des Français n'est pas menacée. Il s'agit dans l'ensemble de vols et de bagarres;

— en fait, la sensibilité des gens à la violence est plus forte aujourd'hui qu'autrefois.

On interroge à ce sujet un responsable de la police qui cherche à rassurer les gens. Que pourra-t-il dire ?

2/ Les vols dans les supermarchés se font chaque année plus nombreux. Une chaîne de supermarchés française reconnaît avoir subi, l'an dernier, une perte de 120 millions.

On rend généralement de jeunes voyous responsables de ces vols. Mais on sait, d'après les statistiques, que les principaux voleurs sont des femmes et des vieillards.

On interroge à ce sujet un responsable de la sécurité.

Q./ Est-il vrai que les vols que l'on constate actuellement dans les supermarchés sont dus à de jeunes voyous ?

Vous êtes ce responsable, que répondrez-vous ?

PROTESTER

Protester, c'est nier avec force. On vous reproche d'avoir dit telle chose, ou bien on veut vous faire dire telle autre chose. Manifestement vos paroles, votre attitude ont été mal interprétées, ce qui peut avoir des conséquences regrettables. Il est donc essentiel pour vous de marquer votre position avec énergie et de rappeler le sens exact de vos propos.

L'ÉTALEMENT DES VACANCES

C'est chaque année le même problème, des millions de Français partent en vacances en même temps pour se rendre à peu près aux mêmes endroits, ce qui soulève de nombreuses difficultés : gares et aéroports envahis par les voyageurs, routes paralysées par les bouchons.

Hôtels et campings sont beaucoup plus chers à cette période de l'année et les conditions d'accueil y sont souvent très mauvaises. En juillet et août, la France ressemble à un immense camp de vacances, avec, par-ci par-là des villes désertes.

Une seule solution donc, **l'étalement des vacances.** Pourquoi ne pas partir en juin et en septembre, comme cela se fait dans d'autres pays?

Sur le principe tout le monde est d'accord. Mais dès qu'il s'agit de passer à l'application, les problèmes commencent à se poser. Les travailleurs, employés, ouvriers, y sont les premiers hostiles (problème des locations au mois, des époux qui travaillent dans d'autres entreprises, des congés des enfants d'âge scolaire, etc.).

Situation : vous êtes syndicaliste. On vous interroge au sujet de l'étalement des vacances.

POSITION

Vous êtes opposé à l'étalement des vacances, du moins sous forme autoritaire. Vous avez d'autre part l'impression que l'on analyse mal votre attitude. Vous allez protester.

Q./ Les syndicats se déclarent généralement opposés à l'opération d'étalement des vacances. C'est tout de même assez curieux quand on voit combien les travailleurs souffrent d'une telle situation : plages encombrées, locations plus chères... Comment expliquez-vous cela ?

Protestation très forte
Renforcement

1/ **Jamais de la vie,** nous ne sommes absolument pas opposés à l'étalement des vacances, **bien au contraire.**

2/ **C'est faux,** nous n'avons jamais dit que nous étions opposés à l'étalement des vacances **(bien au contraire).**

3/ **Rien de plus faux,** nous ne sommes absolument pas opposés à l'étalement des vacances.

4/ Mais absolument pas! Nous n'avons jamais dit que nous étions opposés à l'étalement des vacances.

5/ Ne nous faites pas dire ce que nous n'avons jamais dit. Nous ne sommes absolument pas opposés à l'étalement des vacances.

6/ Mais ce n'est pas vrai! Car, contrairement à ce que vous avez l'air de dire, nous ne sommes absolument pas opposés à l'étalement des vacances.

Protestation un peu moins forte

1/ Je regrette, mais nous n'avons jamais dit que nous étions opposés à l'étalement des vacances.

2/ Ce n'est pas cela, nous ne sommes absolument pas opposés à l'étalement des vacances.

3/ Vous allez trop loin. Nous n'avons jamais dit que nous étions opposés à l'étalement des vacances.

4/ Mais il n'en a jamais été question. Nous ne sommes absolument pas opposés à l'étalement des vacances.

Protestation + justification (Reprise d'un des éléments précédents + justification)

1/ Jamais de la vie, nous ne sommes absolument pas opposés à l'étalement des vacances, **bien au contraire.** Mais nous voulons que l'on tienne compte du problème des époux qui travaillent dans des entreprises différentes, **voilà tout.**

Justification

C'est faux, nous n'avons jamais dit que nous étions opposés à l'étalement des vacances, **bien au contraire.** Mais nous voulons que l'on tienne compte des difficultés que l'on va rencontrer à louer à des dates qui ne correspondent pas à celle d'un mois entier, **c'est uniquement cela.**

Rien de plus faux! Nous ne sommes absolument pas opposés à l'étalement des vacances, mais nous voulons que l'on tienne compte du fait que les dates des congés de nos enfants ne correspondent pas forcément avec les nôtres, **ce n'est pas autre chose.**

EXERCICES

LA PEINE DE MORT

La peine de mort est encore appliquée en France. Mais beaucoup de gens sont opposés à son application. Vous êtes une de ces personnes.

● On vous dit :
— Comment cela? Vous êtes opposé à la peine de mort? Mais vous voulez alors encourager les assassins?

Vous protestez. Que direz-vous?

● On vous dit :
— Vous vous moquez de ce qui peut arrivez aux victimes. Vous préférez réserver votre pitié aux criminels!

Vous protestez. Que direz-vous?

LA MAJORITÉ A DIX-HUIT ANS

(cf. p. 42)

D'après votre réponse, la majorité à 18 ans est une mesure qui ne semble pas avoir répondu à votre attente. On vous dit alors :

— Vous pensez qu'il s'agit là d'une mesure inutile, sans intérêt?
Vous protestez. Que dites-vous?

LE THÉÂTRE DE BOULEVARD

(cf. p. 17)

D'après ce que vous avez dit, vous ne semblez guère aimer le théâtre de boulevard.

On vous dit alors :
— Vous êtes alors hostile à tout théâtre comique, à tout théâtre de détente?
Vous protestez. Que dites-vous?

LES MAISONS INDIVIDUELLES

(cf. p. 44)

A votre avis, il y a en France beaucoup trop de logements individuels. C'est là un phénomène inquiétant. On vous dit alors :
— Vous voulez alors forcer les gens à habiter dans d'énormes immeubles H.L.M.?
Vous protestez. Que dites-vous?

L'ÉNERGIE NUCLÉAIRE

(cf. p. 93)

Vous êtes hostile au développement de l'énergie nucléaire. Cette source d'énergie vous paraît extrêmement dangereuse. On vous dit alors :
— Comment cela? Vous voulez que nous revenions au temps où l'on s'éclairait à la bougie?
Vous protestez. Que dites-vous?

PERSUADER

On peut éprouver parfois des difficultés à convaincre quelqu'un, faute de preuves exactes, ou bien parce que l'interlocuteur ne tient pas à être convaincu. Cela arrive.

Si vous vous trouvez dans une telle situation, votre seule ressource consistera à persuader celui qui vous écoute de votre bonne foi, de votre sincérité, en vous adressant directement à lui. On peut ainsi espérer que par ce contact direct, par cette adresse à l'auditeur, il sera plus facile d'emporter son adhésion.

LES O.V.N.I.

Un peu partout dans le monde, des hommes disent avoir observé des phénomènes étranges dans le ciel, ce que l'on appelle maintenant les Objets Volants Non Identifiés (les O.V.N.I.).

Il s'agit là d'une question très discutée. Selon certains, ceux qui prétendent avoir vu des O.V.N.I. sont des personnes peu sérieuses. D'autres au contraire estiment qu'il faut examiner les témoignages et non les rejeter a priori.

Vous vous adressez à une personne qui ne « croit » pas aux O.V.N.I., vous allez essayer de la persuader qu'il s'agit là d'un phénomène très sérieux...

... en faisant appel à son bon sens

1/ **Vous croyez vraiment que** ces témoins sont tous des déséquilibrés ou des passionnés d'O.V.N.I. ?

2/ **Vous pensez** | **vraiment**
                 | **réellement** que ces témoins sont tous des déséquilibrés ou des passionnés d'O.V.N.I. ?

3/ **Vous ne pensez pas que,** parmi tous ces témoins, il peut y avoir des personnes sérieuses, dignes de foi?

4/ **Vous ne croyez pas que,** parmi tous ces témoins, il peut y avoir des personnes sérieuses, dignes de foi?

... en lui rappelant certains faits

1/ **Vous savez bien que** tous ces témoignages sont recueillis et étudiés avec le plus grand soin!

2/ **Vous n'ignorez pas que** tous ces témoignages sont recueillis et étudiés avec le plus grand soin!

3/ **Tout le monde sait bien que** tous ces témoignages sont recueillis et étudiés avec avec le plus grand soin!

En insistant

4/ **Vous savez bien** | **quand même**
| **tout de même** que tous ces témoignages sont recueillis et étudiés avec le plus grand soin!

5/ **Vous n'ignorez** | **quand même pas**
| **tout de même pas** que tous ces témoignages sont recueillis avec le plus grand soin!

6/ **Vous n'ignorez quand même pas** |
           tout de même pas | que tous ces témoignages sont recueillis avec le plus grand soin!

... en attirant son attention

1/ **Je peux vous dire ceci :** des scientifiques s'intéressent de très près aux O.V.N.I. : ils rassemblent les témoignages, les contrôlent, les comparent. Ce n'est pas négligeable?

2/ Je vais vous dire une chose : écoutez-moi bien : des scientifiques s'intéressent de très près aux O.V.N.I. : ils rassemblent les témoignages, les contrôlent, les comparent. Ce n'est pas négligeable ?

... en insistant...

... si vous avez l'impression que la personne reste encore dans le doute :

1/ Il n'est pas question, **sachez-le bien,** d'accepter le premier témoignage venu.

2/ Il n'est pas question, **soyez-en persuadé,** d'accepter le premier témoignage venu.

3/ Encore une fois, je vous le répète, il n'est pas question d'accepter le premier témoignage venu.

EXERCICES

L'INFLATION

Les prix augmentent sans arrêt. Tout le monde se plaint. C'est l'inflation. Que faire ? Et tout d'abord, qui est responsable de cette augmentation continuelle des prix ?

Autour d'une table, on réunit (voir p. suivante) :
— une ménagère,   — un industriel,
— un ouvrier,   — un grossiste,
— un cadre,   — un commerçant de détail.

On les interroge à tour de rôle en leur demandant à chaque fois :
— Alors ? Le responsable de l'inflation, c'est vous ?

Chacun d'entre eux va :
— protester,
— concéder,
— essayer de persuader les autres qu'il n'est responsable en rien de cette situation.

Vous pouvez alors jouer chacun de ces rôles à plusieurs, ou jouer vous même successivement chacun de ces rôles. Que direz-vous ?

Le cycle prix-salaires

RASSURER

Très souvent, les gens, à partir d'une rumeur, d'un bruit, de nouvelles trop rapidement diffusées, s'inquiètent.

Les rassurer consistera à leur montrer que leurs craintes étaient exagérées, qu'en réalité la situation n'est pas aussi grave qu'ils le craignent. Il s'agira de les tranquilliser, de leur redonner confiance.

Comment ?

SITUATION

Saint-André-sur-Thèle est une petite ville de 10 000 habitants. Une grande partie d'entre eux travaille dans une entreprise de menuiserie qui emploie 850 personnes.

Mais les affaires marchent mal, c'est la crise. Le bruit court qu'il va y avoir de nombreux licenciements. On parle de renvoyer 250 personnes. Tout le monde dans l'entreprise et dans la ville s'inquiète.

Le directeur du personnel de l'entreprise reçoit les délégués du personnel et cherche à les rassurer.

POSITION

 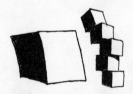 

Un délégué du personnel — Nous avons entendu dire qu'il était question de renvoyer plus de 250 personnes. Ce n'est pas possible !

Le directeur du personnel va les rassurer : premier procédé.

MARQUER LES LIMITES

Il s'agit de ramener les chiffres à des proportions plus modestes, de marquer une limite maximum que l'on ne compte pas dépasser, qui est très loin des chiffres jusqu'alors annoncés.

Nier
(voir p. **50**)

Revenir aux faits

Marquer les limites

1/ **Mais non,**
Absolument pas
Jamais de la vie, | **pratiquement**
en fait
en réalité, | **il n'y aura**
pas plus

pas plus de 75 licenciements.

2/ En réalité, **il y aura tout au plus** 75 licenciements.

3/ En fait, **cela n'excédera pas** 75 licenciements.

4/ Pratiquement, **il y aura** | **tout au plus**
au grand maximum 75 licenciements.

5/ En réalité, **seules seront** | **touchées**
concernées par cette mesure 75 personnes.

En insistant sur le **nier,** on peut dire aussi :

6/ **Non, contrairement** | à ce que l'on a dit
à ce que l'on a laissé croire
à ce que l'on a voulu faire croire
à ce que pensent certains, **à tort,** il est **seulement** question de licencier 75 personnes.

Les gens peuvent aussi être inquiets parce qu'ils craignent qu'il n'y en ait pas assez. Il faut indiquer alors la limite minimum que l'on ne compte pas dépasser. Par exemple, une personne licenciée s'inquiète du montant des indemnités de chômage qu'elle va toucher : elle a entendu dire que cette indemnité ne représenterait que 50 % de l'ancien salaire. Le directeur du personnel la rassure :

1/ | **Absolument pas**
| **Certainement pas,** cette indemnité **ne saurait être inférieure à** 90 % du montant de votre ancien salaire.

2/ Dans tous les cas, cette indemnité représentera | **au minimum**
| **au moins**
90 % du montant de l'ancien salaire.

DÉTROMPER

L'inquiétude peut fort bien provenir d'une mauvaise analyse de la situation. Il s'agit de corriger cette mauvaise interprétation, il s'agit de **détromper.**

Par exemple, dans cette entreprise, on ne compte pas licencier du personnel, mais on cessera de remplacer ceux qui partent à la retraite.

1/ On ne peut pas parler de véritable licenciement, **mais** | **simplement**
| **uniquement de** mise à la retraite. On cessera de remplacer les personnes qui partent.

2/ Il ne s'agit pas là | **à proprement parler**
| **véritablement** de licenciements, **mais simplement de** mise à la retraite. On cessera de remplacer les personnes qui partent.

Volonté de rassurer plus marquée

3/ Il n'est pas question de licencier du personnel, | **loin de là**
| **bien au contraire.**
| **En réalité**
| **En fait, il s'agit** | **simplement**
| **uniquement** de mise à la retraite. On cessera de remplacer les personnes qui partent, **voilà tout!**

PRENDRE A TÉMOIN

Une fois que l'on est parvenu à rassurer les gens par un examen plus attentif des faits, il est possible de s'adresser à eux, de leur demander de prendre eux-mêmes position sur le problème que l'on vient d'exposer. On les **prend à témoin.** Par exemple, le directeur du personnel de cette entreprise, après avoir exposé les faits au maire de Saint-André qui lui avait demandé des explications, dit :

1/ **Vous voyez** | **la modération de** notre projet
       | **combien l'opération sera**
  limitée.

2/ **Vous voyez combien nous sommes loin des**
   | **chiffres avancés**
   | **données avancées par** certaines personnes.

3/ | **Reconnaissez avec moi**
   | **Admettez avec moi** **que nous sommes**
   loin des chiffres avancés par certaines
   personnes.

EXERCICE

LES SONDAGES D'OPINION

Dernier sondage :
Gauche : 51 % - Majorité : 45 %

Il est habituel, surtout en période électorale, de « sonder » périodiquement l'opinion pour connaître ses intentions de vote. On fait un tel usage de ces sondages que beaucoup de personnes s'inquiètent. Elles prétendent qu'ils finissent par diriger l'opinion. Certaines même vont jusqu'à réclamer leur interdiction.

Vous pensez au contraire que les sondages d'opinion peuvent être utiles. Vos arguments sont les suivants :

— l'opinion publique est un milieu très complexe. Il est peu probable que les résultats des sondages puissent l'influencer;

— il vaut mieux une opinion éclairée sur elle-même qu'une opinion aveugle. Vous cherchez alors à rassurer ces personnes inquiètes. Que leur direz-vous?

LA VIOLENCE AU CINÉMA ET A LA TÉLÉVISION

Pour beaucoup de personnes, le spectacle de la violence au cinéma et à la télévision est un phénomène inquiétant :
— les films policiers donnent des idées aux gangsters,
— les jeunes s'habituent ainsi à la violence.

Vous n'êtes pas d'accord. Les statistiques montrent que la criminalité diminue.

La violence, le banditisme ne s'expliquent pas par le cinéma et la télévision.

Vous essayez de rassurer ces personnes inquiètes. Que pourrez-vous leur dire ?

LES BANDES DESSINÉES

Les adultes, enseignants et parents, sont souvent méfiants à l'égard des bandes dessinées. A leurs yeux :
— elles ne sont pas éducatives,
— elles déforment l'esprit des jeunes.

Vous pensez, au contraire, que la lecture des bandes dessinées est aussi très profitable. Elle est culturellement riche, elle ouvre le domaine de l'imaginaire.

Vous cherchez alors à rassurer ces personnes. Que direz-vous ?

NUANCER

On peut, sur une question donnée, exprimer un avis catégorique, c'est-à-dire un avis qui n'a pas à être discuté. Vous êtes très sûr de ce que vous dites, cela se sent.

En revanche, il n'est pas possible, pour certaines questions, d'être aussi net, aussi précis. On est obligé de nuancer, c'est-à-dire de montrer que les choses ne sont pas aussi simples, qu'il existe des données qui ne peuvent entrer dans l'explication que l'on donne habituellement.

On est obligé de distinguer.

Nuancer revient, d'une certaine manière, à concéder (cf. p. 38), mais de façon plus souple, plus prudente.

SEINS NUS

Selon un sondage récent, 8 Français sur 10 affirment ne pas être contre les seins nus sur les plages.

Il y a là de sérieux progrès. Il y a quelques années de cela encore, les seins nus en public étaient considérés comme « un outrage public à la pudeur ». Beaucoup de maires dans leur commune interdisaient une telle pratique.

Est-ce que cela signifie pour autant que notre société est parvenue à se libérer de certains interdits, que nous vivons une véritable révolution des mœurs ?

Un certain nombre de femmes ont été interrogées à ce sujet. Voici ce qu'elles ont répondu :

Marianne	**C'est plus compliqué que cela.** **Ce n'est pas aussi simple que cela.** Les seins représentent encore, pour beaucoup de gens en Europe, un attrait sexuel. Et, **croyez-moi,** les gens sur la plage ne sont pas du tout détachés de ça.

Chantal	**Je ne dis pas que** la mode des seins nus sur la plage ne représente pas, d'une certaine manière, une révolution dans les mœurs. Une telle chose, il y a quelques années de cela, était parfaitement impensable. **Mais** cela ne concerne qu'un nombre limité de personnes.
Janine	**Vous savez, il faut être très prudent dans ce genre d'affirmation.** Une évolution dans les mœurs, **oui**, la disparition complète de certains interdits, **non**. Cela peut se pratiquer dans certains endroits, pas n'importe où.
Michèle	**Il est difficile de conclure de façon aussi catégorique (aussi tranchée).** On se libère de certains interdits, **mais** cela ne touche pas toute la société.
Odile	**Non, je dirai plutôt qu**'il y a une plus grande liberté de comportement chez certaines personnes, qu'il y a une plus grande tolérance du public à l'égard de ce phénomène, **mais non qu**'il s'agit d'une véritable révolution dans les mœurs.
Maryse	**Je crois qu'il faut distinguer entre** un certain nombre de personnes, peu nombreuses d'ailleurs, qui veulent affirmer une plus grande liberté de comportement **et** la grande majorité des gens qui n'a pas encore vraiment changé de mentalité.
	ou bien
	Distinguons, voulez-vous. Il y a d'une part un certain nombre de personnes... **et d'autre part** la grande majorité des gens qui...
Nicole	**Ne simplifions pas, voulez-vous?** On voit déjà sur les plages un certain nombre de

	femmes les seins nus, **c'est vrai, mais** elles ne sont pas très nombreuses et vous n'en verrez pas partout.
Christiane	**Tout dépend de ce que vous entendez par** « révolution des mœurs ». S'il s'agit de noter une plus grande tolérance du public, **alors là d'accord, mais** si vous entendez par là une modification totale de la mentalité des gens, **alors là non.**
Mireille	**C'est selon.** Dans certains milieux, **c'est vrai,** il y a une évolution considérable. **Mais** le phénomène est loin d'être général.

EXERCICES

De la même manière, il existe d'autres questions pour lesquelles il n'est pas facile de fournir un avis catégorique.

1/ L'Université n'a pas actuellement bonne réputation. Ne dit-on pas :

ÉTUDIANTS : FUTURS CHOMEURS?

ON PENSE EN GÉNÉRAL QUE...

— L'Université fabrique des chômeurs;

— échecs et abandons sont très nombreux dans les premières années d'étude;

— les filières de formation préparent plus à l'enseignement qu'à travailler dans l'industrie.

MAIS EN RÉALITÉ...
(d'après une enquête récente)

— les étudiants chôment moins que les autres jeunes de leur âge;

— les étudiants trouvent plus rapidement du travail que les non diplômés;

— il vaut mieux avoir une formation supérieure que le B.E.P.C. pour trouver du travail.

Vous avez mené cette enquête et vous êtes au courant de ses résultats. Un journaliste vous interroge à ce sujet. Il vous dit :

— L'université n'a pas actuellement très bonne réputation. On l'accuse de fabriquer surtout des chômeurs et d'avoir des filières de formation très mal adaptées. Qu'en pensez-vous ?

Qu'allez-vous lui répondre ?

LES FRANÇAIS ET L'AUTOMOBILE

Bien des personnes affirment que l'attitude des Français à l'égard de l'automobile a considérablement changé. Ils empruntent plus souvent les transports en commun. Ils considèrent leur voiture comme un simple moyen de transport et non plus comme un objet sacré. Mais il faut noter aussi que :

— les Français achètent toujours autant, sinon plus, d'automobiles ;

— dans les grandes villes, les embouteillages sont toujours aussi importants ;

— bien des Français manifestent encore un grand amour pour leur automobile, ils la soignent, ils l'équipent de toutes sortes de « gadgets ».

Ce n'est donc pas si simple que cela.

On vous dit :

— Le conducteur français a complètement changé. Pour lui la voiture n'est maintenant qu'un simple moyen de transport.

Que répondrez-vous ?

MODALISER

(éventualité)

A l'égard d'un événement à venir, d'une décision à prendre, d'un résultat attendu, on pourra prendre différentes positions, depuis la certitude absolue de sa réalisation jusqu'à la certitude non moins absolue de sa non-réalisation, en allant ainsi du certain à l'impossible. On passera par tous les degrés d'expression de l'éventualité; cela revient à marquer le plus ou moins grand degré de certitude que l'on manifeste à l'égard de ce que l'on dit, ce qui est une manière de modaliser.

On pourra représenter ainsi les différents aspects de l'éventuel :

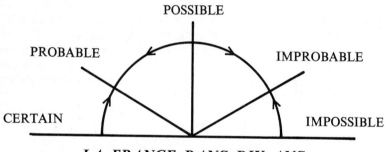

LA FRANCE DANS DIX ANS

La mode est actuellement aux prévisions. On interroge les experts, les gens ordinaires, pour savoir comment ils voient la France dans dix ans. Que se passera-t-il exactement?

Tout est possible. On va vous interroger sur un certain nombre de sujets concernant l'avenir de la France et des Français :

CERTAIN

— D'après vous, dans les années à venir, le chômage va-t-il diminuer ou au contraire se maintenir?

Vous êtes certain que le chômage va se maintenir pour de nombreuses années encore. Vous pourrez dire :

1/ **Il est** | **certain**
sûr
indubitable
clair
incontestable
évident que le chômage est encore appelé à se maintenir dans les années qui viennent et qu'il constituera pour les Français une préoccupation essentielle.

2/ Le chômage est encore appelé à se maintenir dans les années qui viennent et il constituera pour les Français une préoccupation essentielle, **c'est évident / c'est sûr / c'est un fait / c'est certain.**

3/ | **Il ne fait pas de doute que**
Il est hors de doute que le chômage est encore appelé à se maintenir dans les années qui viennent et qu'il constituera pour les Français une préoccupation essentielle.

4/ **Je suis** | **sûr**
certain
persuadé
convaincu que le chômage est encore appelé à se maintenir dans les années qui viennent et qu'il constituera pour les Français une préoccupation essentielle.

5/ Le chômage est encore appelé à se maintenir dans les années qui viennent et il constituera pour les Français une préoccupation essentielle,
| **j'en ai la conviction**
j'en ai la certitude
j'en suis persuadé.

PROBABLE

— La durée hebdomadaire de travail en France est encore de 41,5 heures. Pensez-vous que, dans les dix ans, cette durée va diminuer ?

Vous êtes à peu près certain que cette durée va diminuer. Cela vous paraît **probable.**

Vous pourrez dire :

1/ **Il est probable que,** dans les dix ans, la durée du travail hebdomadaire ira en diminuant.

2/ **Il semble que,** dans les dix ans, la durée du travail hebdomadaire ira en diminuant.

L'ajout de *bien* exprime un degré plus grand de certitude

Il semble bien que, dans les dix ans, ...

3/ Dans les dix ans, la durée du travail hebdomadaire ira **probablement** en diminuant.

4/ Dans les dix ans, la durée hebdomadaire du travail ira, | **semble-t-il,** en diminuant.
| **sans doute**

5/ **Il y a de fortes chances pour que,** dans les dix ans, la durée du travail hebdomadaire **aille** en diminuant.

POSSIBLE

— L'alimentation représentait jusqu'à maintenant une part importante dans les dépenses des ménages français. Pensez-vous qu'il en sera toujours ainsi ?

Selon vous, les Français devraient consacrer un peu moins d'argent aux dépenses de nourriture. Cela vous paraît **possible,** mais vous n'en êtes pas vraiment persuadé. Il n'est pas évident que les Français veuillent moins manger, des aliments de moindre qualité. Vous direz alors :

1/ **Il est possible que,** dans les dix années à venir, les Français dépensent moins pour la nourriture.

2/ **Il n'est pas impossible que** les Français, dans les dix années à venir, dépensent moins pour la nourriture.

3/ **Il se pourrait bien que,** dans les dix années à venir, les Français dépensent moins pour leur nourriture.

4/ **Il se peut que,** dans les dix années à venir, les Français dépensent moins pour leur nourriture.

5/ Les Français dépenseront **peut-être** moins, dans les dix années à venir, pour leur nourriture.

IMPROBABLE

— Faut-il, d'après vous, envisager dans les dix années qui viennent le risque d'une guerre ?

Vous ne croyez pas qu'une guerre surviendra dans un avenir proche. Bien entendu, vous ne pouvez pas l'affirmer absolument. Cela vous paraît simplement **improbable.** Vous direz :

1/ **Il ne me semble pas qu'**une guerre doive survenir dans les dix années qui viennent.

2/ **Il est (bien) peu probable qu'**une guerre doive éclater dans les dix années qui viennent.

Plus expressif

3/ Qu'une guerre éclate dans les dix années qui viennent **me paraît (bien)** | **peu probable improbable.**

4/ **Il est (bien) peu vraisemblable qu'**une guerre doive éclater dans les dix années qui viennent.

5/ **Il y a (bien) peu de chances pour qu'**une guerre doive éclater dans les dix années qui viennent.

6/ **Je doute fort qu'**une guerre doive éclater dans les dix années qui viennent.

7/ **Ça m'étonnerait beaucoup qu'**une guerre doive éclater dans les dix années qui viennent.

IMPOSSIBLE

— La France connaîtra-t-elle durant ces dix prochaines années des bouleversements politiques graves?

Vous connaissez bien les Français et vous savez qu'ils n'apprécient guère les bouleversements et qu'aux crises soudaines et violentes ils préfèrent les réformes progressives et pacifiques. Il vous paraît donc **impossible** qu'il y ait des bouleversements politiques graves dans les dix prochaines années.

Vous pourrez dire :

1/ **Il est exclu que** la France connaisse des bouleversements politiques graves dans les dix prochaines années.

2/ **Il est impossible que** la France connaisse des bouleversements politiques graves dans les dix prochaines années.

3/ **On ne saurait envisager** la survenue de bouleversements politiques graves dans les dix prochaines années.

4/ **Il n'y a aucune chance pour que** la France connaisse des bouleversements politiques graves dans les dix prochaines années.

5/ **Il est absolument hors de question que** la France connaisse des bouleversements politiques graves dans les dix prochaines années.

EXERCICE

BEAUBOURG — QUEL AVENIR?

Beaubourg a soulevé bien des discussions (cf. p. 38) au sujet de son architecture. Pour la première année d'activités, il faut bien admettre que c'est un triomphe : 6 millions de visiteurs, le double de la tour Eiffel.

Mais tout le monde n'est pas d'accord sur le bilan.

POUR

— Le public qui fréquente Beaubourg n'est pas le public des musées traditionnels;

— des expositions originales ont été organisées;

— la bibliothèque est un immense succès.

CONTRE

— Le budget de fonctionnement est beaucoup trop élevé — 130 millions par an — pourra-t-on longtemps continuer ainsi?

— Beaubourg ne touche pas les provinciaux;

— les activités plus classiques — peinture, musique — sont à l'écart des autres activités et ne touchent qu'un public limité.

Au vu de ces données, on interroge un certain nombre de personnes :

— Comment voyez-vous l'activité du Centre Beaubourg dans les années à venir? Identique à celle de cette première année, ou bien différente? Pourquoi?

Que peut-on répondre, selon la position que l'on adopte?

INTERVENIR

On peut être amené à intervenir soit dans un débat, soit à la suite d'un exposé pour faire connaître son point de vue. Il s'agit donc de savoir prendre la parole.

Intervenir, ce sera à la fois annoncer son intention de parler et informer son auditeur ou son auditoire du contenu de l'intervention, ceci afin d'en rendre plus facile la compréhension.

Généralement, une intervention se justifie ainsi :

— on veut marquer son accord avec ce que vient de dire quelqu'un;

— on demande une explication, une précision;

— on n'est pas d'accord. On formule une objection.

PROGRÈS ET MONDE MODERNE

A l'occasion d'une rencontre consacrée à l'étude des problèmes que pose la civilisation industrielle, le professeur Jean Renaud vient de terminer son exposé intitulé **Le monde moderne et ses problèmes** (cf. p. 6).

Parmi les personnes qui ont écouté, un certain nombre vont **intervenir**.

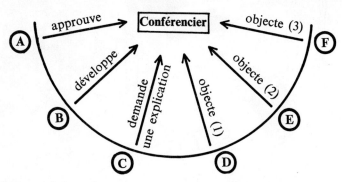

Les interventions se feront dans l'ordre suivant, de **A** à **F**.

APPROUVER

L'auditeur **A** est entièrement d'accord avec ce que vient de dire le professeur Renaud. Il tient à le faire savoir.

Contenu de l'intervention : expression de l'accord + référence au passage de l'exposé.

Vous êtes cet auditeur. Vous pourrez dire, à la suite de la déclaration du professeur :

Professeur Jean Renaud   La pollution n'est pas le danger le plus grave qui nous menace.

1/ **J'allais dire exactement la même chose.** L'alcool et le tabac me semblent représenter un danger infiniment plus redoutable que la pollution.

2/ (Je suis) tout à fait d'accord avec vous. L'alcool et le tabac me semblent représenter un danger infiniment plus redoutable que la pollution.

3/ C'est justement ce que je voulais (j'allais) dire. L'alcool et le tabac me semblent représenter un danger infiniment plus redoutable que la pollution.

4/ Je vous rejoins entièrement. L'alcool et le tabac me semblent représenter un danger infiniment plus redoutable que la pollution.

Si vous voulez marquer votre accord de façon encore plus nette, vous pourrez dire :

5/ Absolument! L'alcool et le tabac me semblent représenter un danger infiniment plus redoutable que la pollution.

6/ Mais c'est l'évidence même! L'alcool et le tabac me semblent représenter un danger infiniment plus redoutable que la pollution.

DÉVELOPPER

Un propos du professeur Renaud a retenu l'attention de l'auditeur **B** parce qu'il lui paraît particulièrement important. Il tient à le souligner. Pour cela, il va en développer un aspect.

Vous êtes cet auditeur **B.** Vous pourrez dire, à la suite de la déclaration du professeur :

Professeur Renaud

Il ne faut pas idéaliser le passé. Les conditions de vie autrefois étaient particulièrement dures.

Rappel de la déclaration

1/ Si vous le permettez, je voudrais signaler à ce propos qu'en 1910 la durée moyenne de la semaine de travail était encore de soixante heures.

2/ Je voudrais souligner à ce propos (à ce sujet) **qu'**en 1910 la durée moyenne de la semaine de travail était de soixante heures.

Avec rappel plus détaillé de la déclaration précédente :

3/ Au sujet de la dureté des conditions de vie autrefois, **j'aurais quelque chose à préciser (souligner).** En 1910, la durée moyenne de la semaine de travail était de soixante heures.

4/ Au sujet de (en ce qui concerne) la dureté des conditions de vie autrefois, **je voudrais apporter (ajouter) une précision :** en 1910, la durée moyenne de la semaine de travail était de soixante heures.

Vous voulez indiquer que votre intervention sera brève. Vous pourrez dire :

5/ Un mot seulement pour rappeler (signaler) qu'en 1910 la durée moyenne de la semaine de travail était de soixante heures.

6/ Juste quelques remarques à propos de (au sujet de) la dureté des conditions de vie autrefois. En 1910, la durée moyenne de la semaine de travail était de soixante heures.

DEMANDER UNE EXPLICATION

L'auditeur **C** estime qu'un des points de l'exposé a été insuffisamment développé ou qu'il est resté peu clair. Il va intervenir pour demander un complément d'information, pour avoir des précisions supplémentaires.

Vous êtes cet auditeur **C** et vous avez été frappé par ce passage de l'exposé du professeur Renaud :

— Les maladies de cœur que l'on attribue habituellement aux tensions de la vie citadine sont aussi nombreuses dans les campagnes que dans les villes.

1/ **Je voudrais poser une question** au sujet du nombre exact de maladies de cœur constatées dans les villes et les campagnes. Pensez-vous vraiment qu'il soit exactement le même dans les deux cas?

2/ **C'est au sujet du** nombre exact de maladies de cœur constatées dans les villes et les campagnes. Pensez-vous vraiment qu'il soit le même dans les deux cas?

3/ **J'aimerais avoir des précisions sur** le nombre exact de maladies de cœur dans les villes et les campagnes. Pensez-vous vraiment qu'il soit le même dans les deux cas?

Vous voulez indiquer **le caractère bref** de votre intervention :

Rappel de la déclaration **4/** **Juste une question** | **au sujet de**
| **concernant le**
| **à propos du** nombre exact de maladies de cœur dans les villes et les campagnes. Pensez-vous vraiment qu'il soit le même dans les deux cas?

Rappel **5/** **Simple question à poser au sujet du** nombre exact de maladies de cœur dans les villes et les campagnes. Pensez-vous vraiment qu'il soit le même dans les deux cas?

Rappel **6/** **Une dernière question, si vous le permettez, à propos du** nombre exact de maladies de cœur dans les villes et les campagnes. Pensez-vous vraiment qu'il soit le même dans les deux cas?

Vous voulez demander aussi une précision sur un point qui ne vous a pas paru très clair.

Rappel **1/** **Vous avez dit que** les maladies de cœur étaient en fait aussi nombreuses dans les campagnes que dans les villes. **Cela**

signifie-t-il que le surmenage, la tension nerveuse ne constituent pas un risque important pour la santé des citadins?

Rappel

2/ Si je comprends bien, d'après vous, le surmenage, la tension nerveuse ne constituent pas un risque important pour la santé des citadins?

3/ Mais | **que voulez-vous dire par**
| **qu'entendez-vous par** | m a l a d i e de cœur? **S'agit-il** d'hypertension, d'infarctus, d'athérosclérose? Ces maladies se retrouvent-elles de la même manière dans les villes et dans les campagnes?

4/ Je voudrais que vous précisiez ce que
| **vous voulez dire par**
| **vous entendez par** maladie de cœur? **S'agit-il** d'hypertension, d'infarctus, d'athérosclérose? Ces maladies se retrouvent-elles de la même manière dans les villes et dans les campagnes?

OBJECTER

Jusqu'à présent, ces interventions étaient simplement destinées à marquer une approbation (approuver) ou à reprendre un point de l'exposé pour le développer (développer, demander une explication).

Mais vient le moment où l'on peut avoir à **marquer son désaccord,** à **formuler une objection.** En effet, l'auditeur **D** veut intervenir parce qu'il a relevé dans l'exposé un point qui lui paraît **en contradiction** avec un certain nombre de faits ou d'informations. Il intervient.

Vous êtes cet auditeur et vous avez relevé ce passage de l'exposé :

— Les jeunes d'aujourd'hui n'ont pas à se plaindre. La durée de vie a considérablement augmenté. Les travaux pénibles ont diminué pour beaucoup de gens. Il n'y a pas de problèmes en matière de survie matérielle et tous disposent de loisirs importants qui leur permettent de voyager, de se cultiver, privilèges qui autrefois étaient réservés à une minorité.

Rappel	1/ **Vous avez tout à fait raison de** $\left|\begin{array}{l}\text{souligner}\\ \text{rappeler}\\ \text{insister sur}\end{array}\right.$
Contradiction	l'amélioration sensible des conditions matérielles de vie. **Mais**

$\left|\begin{array}{l}\textbf{comment expliquer alors}\\ \textbf{comment se fait-il alors}\end{array}\right.$ que les jeunes manifestent si peu d'enthousiasme à l'égard de la société actuelle?

Rappel	2/ **Si** $\left|\begin{array}{l}\textbf{j'ai bien compris vos paroles}\\ \textbf{j'interprète bien vos propos}\end{array}\right.$ les jeunes auraient toutes les raisons d'être heureux.
Contradiction	**Mais** $\left|\begin{array}{l}\textbf{dans ce cas}\\ \textbf{alors comment expliquer}\end{array}\right.$ leur insatisfaction, leur manque d'enthousiasme à l'égard de la société actuelle?

Rappel **Contradiction**	3/ **Je regrette de** $\left|\begin{array}{l}\textbf{devoir signaler}\\ \textbf{faire remarquer}\\ \textbf{devoir rappeler}\end{array}\right.$ qu'un mieux-être matériel **ne suffit pas à** rendre les gens heureux. Nous le voyons tous les jours. Les jeunes s'ennuient, sont insatisfaits.

Rappel	4/ $\left|\begin{array}{l}\textbf{S'il est certain}\\ \textbf{S'il est vrai}\\ \textbf{S'il est exact que}\end{array}\right.$ les conditions matérielles de vie se sont beaucoup améliorées,
Contradiction	**il faut tout de même noter que** les jeunes sont dans leur ensemble insatisfaits. Un mieux-être matériel ne semble pas suffire à rendre les gens heureux.

Rappel **Contradiction**	5/ **Je ne nie pas** le fait que les conditions de vie se soient considérablement améliorées. **Cela suffit-il cependant** pour demander aux jeunes de ne pas se plaindre? Le chômage, la perspective d'un travail peu intéressant peuvent-ils vraiment les satisfaire?

6/ Je regrette, mais vous avez beau dire, le mieux-être matériel ne suffit pas à satisfaire les gens et surtout pas les jeunes.

Objecter peut consister à relever une contradiction dans le propos de l'interlocuteur. Mais cela ne suffit pas. Il faut essayer de proposer une autre explication et de conclure. Ce sera la phase de **récapitulation,** en troisième étape de l'objection. Vous pourrez dire, par exemple :

Rappel
Contradiction

7/ Vous avez tout à fait raison de souligner l'amélioration sensible des conditions de vie. **Mais comment expliquer alors que** les jeunes manifestent si peu d'enthousiasme à l'égard de la société actuelle ?

Récapitulation

En réalité
La réalité est que
En fait
De fait les aspirations des gens ont beaucoup augmenté et si, pour la plupart, les problèmes d'autrefois sont résolus, d'autres se posent comme le chômage, les métiers inintéressants, l'absence de responsabilités, les contraintes de plus en plus fortes de la société moderne...

Selon le schéma suivant :

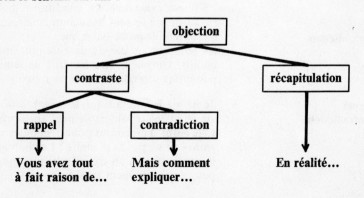

OBJECTER : incompréhension

On peut aussi avoir à formuler une objection parce que l'on ne voit pas le rapport qui peut exister entre tel fait ou tel phénomène et l'explication proposée. On ne comprend pas : on manifeste son incompréhension.

C'est le cas de l'auditeur E à la suite de la déclaration précédente du conférencier. Vous êtes cet auditeur, vous pourrez dire :

1/ **J'avoue ne pas bien comprendre en quoi** un certain bien-être matériel devrait suffire à rendre les gens et surtout les jeunes heureux!

2/ **Je ne vois pas quel rapport il peut y avoir entre** le bien-être matériel **et** le bonheur. Posséder un poste de télévision, une machine à laver c'est une chose, être heureux, c'en est une autre!

3/ **Je ne vois pas du tout pourquoi** l'existence d'un certain bien-être matériel . **devrait** nécessairement **entraîner** le bonheur chez les gens. C'est même le contraire qui se passe à l'heure actuelle.

4/ **En quoi** le bien-être matériel **peut-il suffire à** rendre les gens heureux? J'aimerais bien qu'on me l'explique.

Objecter, dans ce cas-là, revient à nier le rapport que l'interlocuteur avait établi entre deux faits, deux notions ou deux idées.

Pour le professeur Renaud :

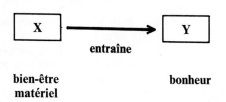

Pour l'auditeur E :

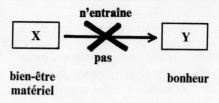

OBJECTER : différence d'analyse

On peut aussi formuler une objection parce que l'on n'est pas d'accord avec l'interlocuteur sur les éléments d'explication proposés.

Ainsi, le professeur Renaud a déclaré au cours de son exposé :

La plupart des gens sont à l'heure actuelle insatisfaits de la vie qu'ils mènent. Ils disent que leur santé est menacée, qu'ils sont surmenés, que le cadre de vie se détériore... Mais il y a là une erreur grave d'interprétation, une absence totale d'information, un véritable refus du réel.

L'auditeur **F** ne partage pas cette analyse. Il est d'accord sur l'exposé des faits : l'insatisfaction des gens, mais il n'est pas du tout d'accord avec l'explication proposée. Vous êtes cet auditeur. Vous pourrez dire :

1/ **Certes, mais** si les gens ont l'air d'être mal informés, s'ils manifestent une sorte de refus du réel, **cela n'est-il pas au contraire la preuve qu'**il y a dans notre société quelque chose qui ne va pas ?

2/ **D'accord, mais** si les gens ont l'air d'être mal informés, s'ils manifestent une sorte de refus du réel, **cela ne prouve-t-il pas au contraire qu'**il y a dans notre société quelque chose qui ne va pas ?

3/ **Bon, mais n'est-ce pas une façon de reconnaître qu'**il y a dans notre société quelque chose qui ne va pas, **puisque vous dites vous-même que** les gens sont mal informés, qu'ils manifestent une sorte de refus du réel ?

4/ **Vous ne pensez pas que** ce malaise pourrait être dû à autre chose qu'un simple manque d'information? Mais à l'organisation même de notre société?

5/ **Mais n'y aurait-il pas une explication plus simple?** Si les gens manifestent une sorte de refus du réel, n'est-ce pas parce que notre société est mal faite?

6/ **Certes, mais on peut toutefois se demander si** cette absence d'information, ce refus du réel ne prouvent pas au contraire que c'est notre société qui justement est mal faite?

LES MODES D'INTERVENTION

Nous venons de voir quelques types d'intervention à l'occasion d'un débat. Mais il faut aussi envisager le mode d'intervention, à la fois pour répondre à des règles de politesse élémentaire — on demande à l'assemblée d'intervenir, on exprime son désir d'intervenir — (sauf lorsque l'on éprouve la nécessité de le faire brutalement, c'est parfois nécessaire) et aussi pour informer l'auditoire de la nature de l'intervention.

INTRODUIRE L'INTERVENTION

● **Retour en arrière :** le débat a avancé et a laissé de côté un point qui vous paraît important. Vous voulez que l'on y revienne. Vous direz :

1/ **Si vous le permettez**
Si vous le voulez bien
je voudrais revenir
je souhaiterais revenir
sur la question de la répartition des maladies de cœur dans les villes et dans les campagnes.

2/ **Pardonnez-moi**
Excusez-moi mais j'aimerais que l'on revienne sur la question de la répartition des maladies de cœur dans les villes et dans les campagnes.

● **Introduction d'une objection** : s'opposer à une personne est un acte qui n'est pas forcément agréable. On peut alors manifester son regret :

1/ Je regrette, mais la perspective du chômage ou d'un travail inintéressant n'a pas de quoi enthousiasmer les jeunes pour notre époque.

2/ Je suis désolé, mais la perspective du chômage ou d'un travail inintéressant n'a pas de quoi enthousiasmer les jeunes pour notre époque.

3/ Alors là, │ **vous m'excuserez**
│ **excusez-moi, mais** vous admettrez avec moi que la perspective du chômage ou d'un travail inintéressant n'a pas de quoi enthousiasmer les jeunes pour notre époque.

● **Prise de parole** : vous avez réclamé la parole depuis un moment. On vous la donne enfin. Vous pourrez commencer ainsi :

1/ Oui, voilà ce que je voulais dire...

2/ Je voulais dire ceci...

3/ Je voulais dire la chose suivante...

GARDER LA PAROLE

Il est fréquent dans un débat de voir les gens se couper la parole, c'est-à-dire intervenir avant même que l'autre ait terminé son propos. Cela peut s'expliquer par le désir d'exprimer immédiatement son désaccord ou bien par la volonté de faire perdre à la personne qui parle le fil de ses idées.

Il ne faut pas alors se laisser faire. Savoir **garder la parole** est indispensable.

1/ Vous êtes en train de dire :

Les problèmes du passé ne font pas disparaître ceux du présent : transports difficiles, chômage, travaux inintéressants, c'est...

2/ On vous interrompt :

Je regrette, mais on ne va quand même pas réduire le monde actuel à ces quelques aspects. Il y a aussi quantité d'aspects positifs...

3/ Vous gardez la parole :

> **Un instant, s'il vous plaît**
> **Mais attendez, laissez-moi terminer. Je voulais dire que** ce n'est pas en rappelant constamment aux gens qu'on était malheureux autrefois qu'on leur fera croire que tout est merveilleux aujourd'hui !

> **Je n'ai pas terminé, je vous prie. Je disais que** ce n'est pas en rappelant constamment aux gens qu'on était malheureux autrefois qu'on leur fera croire que tout est merveilleux aujourd'hui !

> **Je voudrais continuer jusqu'au bout,**
> **si vous le voulez bien**
> **si vous le permettez**
> **si vous n'y voyez pas d'inconvénients. Je disais que** ce n'est pas en rappelant constamment aux gens qu'on était malheureux autrefois qu'on leur fera croire que tout est merveilleux aujourd'hui.

> **Je n'ai pas fini.**
> **Je vais jusqu'au bout, si vous le permettez.**
> **Je voulais dire que** ce n'est pas en rappelant constamment aux gens qu'on était malheureux autrefois qu'on leur fera croire que tout est merveilleux aujourd'hui.

REVENIR AU DÉBAT

Il arrive souvent que dans un débat, une question en amenant une autre, on finisse par perdre de vue au bout de quelques instants l'objet même du débat. Il est alors nécessaire de rappeler aux participants qu'il faut **revenir au débat.** Vous pourrez dire :

Ne nous égarons pas je vous prie.

Ce que vous dites est très intéressant, mais nous fait sortir un peu de notre sujet.

Il me semble que nous sortons un peu là de la question.

Je crois que nous nous écartons là du centre même de notre débat.

Revenons à la question initiale, si vous le voulez bien.

EXERCICES

1. UN DÉBAT : DIX ANS CHEZ LES FRANÇAIS
1967   1977

Chez les Dumesnil. En 1967, le pavillon de quatre pièces ancien, laissé par les parents à Courbevoie, n'est pas trop grand pour loger le père, la mère et trois enfants. On a une 4 L qui sert pour les dimanches. Mais la vie est quand même dure avec un seul salaire, celui du père, contremaître à E.D.F. Consolation : dans la corporation, M. Dumesnil se trouve au milieu de l'échelle des salaires (2 720 F 1967 par mois). Et il peut quand même se payer son tiercé des dimanches, offrir un moulin à café électrique à sa femme pour son anniversaire, un transistor au garçon qui a réussi le B.E.P.C. et une montre à la fille pour sa communion. Il va au travail à mobylette et, en route, se demande s'ils auront les moyens, cet été, de tirer la caravane, après les colonies des gosses, jusqu'à la Costa Brava.

Les économies de 1967, c'est la « patronne » qui s'en occupe. Elle va à la poste pour mettre à la Caisse d'Épargne quelques billets de dix francs, payer ses factures de gaz et

René Leroy, comme son collègue Dumesnil, se situe, en 1977, sur l'échelon moyen des salaires d'E.D.F., ce qui lui fait aux alentours de 4 400 F de revenu net par mois en francs actuels et 30 % de pouvoir d'achat de plus que n'en avait Dumesnil. Mais il y a une différence : il n'a que deux enfants. Et sa femme travaille, employée au classement dans une entreprise de bâtiment, elle touche 2 100 F par mois. Petit salaire, mais bien utile pour améliorer le budget équipement — on a décidé d'acheter un lave-vaisselle.

Le pavillon F4 tout électrique avec salle de bains et (enfin !) le téléphone, est bientôt fini d'être payé. Lui, qui a la qualification de technicien, va au travail en polo (finie la cravate) dans sa R 5, emprunte, entre deux échangeurs, le périphérique et, de feu rouge en feu rouge, arrive au travail presque aussi vite que son collègue Dumesnil, il y a dix ans, avec sa mobylette, bien qu'il doive parquer sa voiture sur des trottoirs encombrés de « mobilier urbain ».

d'électricité, et les traites qui restent pour la télé. Elle aussi rêve de vacances mais, en attendant, se demande si elle va oser s'acheter une petite robe mode au-dessus du genou, sans que son mari et ses enfants se moquent d'elle. Pour les courses, elle va de plus en plus au « Supereco » ouvert depuis six mois après avoir hésité — un peu — à laisser tomber son petit boucher et sa petite crémière. Le « Super » est à dix minutes de chez elle, mais il est plutôt moins cher. Mme Dumesnil aimerait pouvoir aussi s'acheter une machine à laver. Cela rendrait bien service. L'année prochaine peut-être?

Les enfants coûtent cher. Trois, quand on se serait contenté de deux. Voilà ce que c'est de trop compter sur son mari pour le contrôle des naissances! Pas trop de problèmes avec eux, à part l'aîné, ses cheveux longs, mal lavés, ses « jeans », sa pop'musique, le poster de Che Guevara au-dessus de son lit et ses rêves de moto (heureusement que c'est trop cher, on est plus tranquille).

Il a quand même passé son bachot; il est étudiant, ce qui était exclu pour ses parents.

Il y a aussi la télé pour vous arracher à vos soucis. Il n'est pas commode d'arbitrer chaque soir entre les deux chaînes. Non la vie n'est pas simple.

Sa femme, elle, prend le métro et le train : carte orange, poinçonneuses automatiques, wagons moins bruyants et mieux éclairés que naguère, au moins, sur sa ligne. Elle parle avec ses collègues, s'est mise à la pilule. Elle porte depuis longtemps des pantalons et elle trouve cela bien commode.

Les courses, elle va les faire le samedi, avec la voiture qui est disponible, dans le centre commercial inauguré l'an dernier et son hypermarché.

Dans la rue de banlieue, débarrassée de ses poteaux électriques et téléphoniques, aux murs tapissés d'affichettes de la section écologique locale, il n'y aura bientôt plus de place pour garer la voiture. L'aînée, élève infirmière — c'est une bonne façon d'échapper au chômage qui menace ses camarades — s'est payé une 2 CV d'occasion avec laquelle elle compte partir en vacances. Le frère va au C.E.S., mais il préfère la natation dans la nouvelle piscine olympique. Montre à quartz, appareil photo Instamatic pour la communion et promesse d'une « mob » s'il arrive au bac : on ne lui refuse rien et il trouve ça normal. A la maison on regarde la télé en couleur.

Comme les Dumesnil, les Leroy trouvent que la vie est chère. Ils voudraient changer de voiture et économiser pour une petite maison de campagne, mais ils n'ont pas d'argent. Comme il y a dix ans.

(Textes adaptés d'après Alain Murcier, *L'Expansion*, septembre 1977)

Un débat rassemblant des sociologues, des représentants d'associations familiales et d'organisations syndicales, est organisé pour essayer de faire le point sur ces dix années écoulées :

— qu'est-ce qui a changé dans la vie des Français?

— sont-ils plus riches? leur niveau de vie s'est-il amélioré?

— sont-ils plus heureux?

— ces deux couples sont-ils représentatifs de la vie de tous les Français ? Le débat va s'organiser à partir de ces données et de ces questions. Deux groupes vont se constituer :

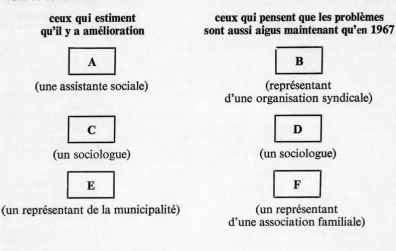

**ceux qui estiment
qu'il y a amélioration**

**ceux qui pensent que les problèmes
sont aussi aigus maintenant qu'en 1967**

A

(une assistante sociale)

B

(représentant
d'une organisation syndicale)

C

(un sociologue)

D

(un sociologue)

E

(un représentant de la municipalité)

F

(un représentant
d'une association familiale)

un animateur

On notera que B est très actif dans le débat, ce qui l'amènera souvent à :
— insister (cf. p. 56),
— persuader (cf. p. 54),
— protester (cf. p. 49),
— intervenir en coupant la parole (cf. pp. 84 et 85);

que A est plus souple dans sa démarche, ce qui l'amènera souvent à :
— donner un avis personnel (cf. p. 32),
— concéder (cf. p. 38),
— nuancer (cf. p. 63),
— s'expliquer (cf. pp. 12 et 17),
ceci à titre d'exemple, bien entendu.

On peut concevoir le déroulement de débat suivant :

1/ l'animateur reprend l'ensemble des données dans un exposé rapide (cf. *exposer*, p. 6).

2/ **A** expose les raisons pour lesquelles, d'après lui (cf. p. 32) il y a amélioration.

3/ **C** approuve (cf. p. 74) le point de vue de **A** et le développe (cf. p. 75). Il donne des exemples (cf. p. 26).

4/ **B** formule une objection (cf. p. 78).

5/ **D** développe le point de vue de **B** et donne des exemples.

6/ **E** répond à l'objection de **B** (cf. p. 84).

7/ **F** fait une vive objection (cf. p. 81) au point de vue de **E**, donne des exemples, etc.

Le débat peut se poursuivre ainsi aussi longtemps que les participants disposeront d'arguments. On peut aussi le limiter dans le temps.

A certains moments, l'animateur pourra demander des précisions, des explications (cf. pp. 76 et 77). Les participants pourront essayer de se couper la parole, de la garder (cf. pp. 84 et 85).

Il suffit maintenant de se réunir à cinq ou à sept, tout dépend du nombre de participants possible. Allez-y, commencez!

2. LE TRIANGLE DES BERMUDES, LÉGENDE OU RÉALITÉ?

Le Triangle des Bermudes : une zone de l'Atlantique, quelque part entre la Floride, Cuba et les Bermudes.

C'est une région du globe particulièrement fréquentée. Environ 150 000 bateaux y passent chaque année. Certains faits toutefois n'ont pas manqué de surprendre un certain nombre d'observateurs. Ils rappellent par exemple que c'est dans cette région que, par un beau jour de décembre 1945, cinq chasseurs bombardiers disparurent sans laisser la moindre trace. Chaque année sont enregistrés de très nombreux appels à l'aide. Certains naufrages restent inexpliqués. Ainsi le 20 août 1976, un cargo, le « Silvia L. Ossa » disparaissait mystérieusement avec ses trente-sept membres d'équipage. Toujours la même année, on enregistrait encore dans le Triangle des Bermudes six naufrages pour lesquels on ne pouvait fournir aucune explication sérieuse.

Face à tous ces faits, on trouve alors deux séries de personnes :

1/ celles qui pensent qu'il y a là un mystère apparemment inexplicable. Ces faits pourraient s'expliquer par :

— des interventions d'O.V.N.I. (cf. p. 54) qui s'attaqueraient aux avions et bateaux naviguant dans cette zone,

— une contraction brusque de l'espace-temps,

— les vestiges d'une ancienne civilisation, celle de l'Atlantide, située au fond de la mer, qui pourraient perturber la météo, le magnétisme.

2/ celles qui estiment qu'il s'agit là d'une pure légende. D'après elles :

— un certain nombre de ces accidents se sont produits en dehors de la zone citée,

— c'est une région très instable météorologiquement. Un cyclone peut se lever en une heure,

— le trafic aérien et maritime, dans cette région du monde, est très important, ce qui explique ce nombre relativement élevé d'accidents,

— la combinaison de certains vents avec certaines ondes marines peut produire des infra-sons très pénibles à supporter.

Partant de ces données, deux personnes ou deux groupes vont s'affronter sur cette question. On peut concevoir le déroulement suivant :

— **A** croit à ce mystère	puis **B** qui ne croit pas au mystère
— expose (cf. p. 6),	— expose,
— donne son avis (cf. p. 32),	— objecte (cf. p. 78),
— concède (cf. p. 38),	— concède (cf. p. 38),
— persuade (cf. p. 54),	— proteste (cf. p. 49),
— donne des exemples (cf. p. 26),	
etc.	

chacun pouvant parler après l'autre ou bien l'interrompant.

A vous de débattre, d'après la position que vous adoptez sur cette question.

STRATÉGIES

Ces différents actes de paroles, en les combinant diversement, permettent de produire des discours très différents, adaptés à la situation de communication dans laquelle on est amené à prendre la parole. Pour convaincre, il faut en effet être capable d'adopter des stratégies différentes, selon la nature et la position du public auquel on s'adresse.

Il faudra savoir alors :

— *débattre p. (92)*,

— *influencer (p. 101)*,

— *inciter (p. 101)*,

— *dissuader (p. 105)*.

DÉBATTRE

Débattre, c'est avoir à affronter, dans le cadre d'une discussion ou d'une négociation, le point de vue d'une autre personne sur une question donnée. Le but est de pouvoir la convaincre ou, sinon, sur certains points, de montrer qu'elle est en contradiction avec elle-même ou avec certains faits.

Il ne s'agit donc pas simplement d'affirmer son opposition ou de vouloir imposer son point de vue. Il faut « mettre en forme » ses arguments et, ce qui est plus délicat, les articuler à partir des arguments de l'adversaire. En un mot, il faut être capable de développer une argumentation à partir d'une autre argumentation. Comment procéder ?

1/ Votre adversaire parle le premier. Il expose son point de vue sous forme d'une ou plusieurs **propositions** qui souvent sont organisées en **syllogisme**.

2/ Vous écoutez votre interlocuteur et vous allez chercher dans son argumentation un ou plusieurs points faibles et être amené :

— soit à **nier** la totalité de son argumentation,

— soit à **distinguer** dans une des propositions que vous venez d'entendre ce qui peut être accepté et ce qui doit être rejeté.

3/ Vous reprenez alors la proposition de votre interlocuteur et vous pouvez développer ainsi votre **objection** :

— vous distinguez le caractère double de la proposition,

— vous concédez la partie de la proposition qui est vraie,

— vous niez l'autre;

ou, selon un schéma plus développé :

— vous distinguez les deux aspects,

— vous expliquez — définition des deux aspects,

— vous concédez la partie vraie,

— vous niez la partie fausse,

— vous prouvez à l'aide d'exemples.

Écoutons ce premier débat et examinons son fonctionnement.

L'ÉLECTRICITÉ NUCLÉAIRE UN BON CHOIX?

Présentateur : La France est engagée dans un programme d'équipement en centrales nucléaires particulièrement important. Pour l'an 2000, on prévoit l'existence d'une trentaine de centrales à plusieurs réacteurs chacune et peut-être une douzaine de surrégénérateurs du type Super-Phénix, auxquels il faut ajouter les centres d'enrichissement et de retraitement de l'uranium.

Un programme extrêmement lourd, comme vous le voyez et sur lequel les gens sont loin d'être d'accord. Faut-il s'en remettre au nucléaire? Est-ce un bon choix?

Cette question, nous la posons à deux personnes, réunies ici avec nous ce soir, M. Marcel Lefort, chef du service Études Économiques à E.D.F. et M. Bernard Delfosse auteur d'un ouvrage intitulé « Non au nucléaire ».

LE DÉBAT NUCLÉAIRE

MISE EN FORME ENCHAI-NEMENTS	DÉBAT	ACTES
	Bernard DELFOSSE : Le nucléaire est-il un bon choix?	
majeure	Je répondrai immédiatement : non! La meilleure preuve va nous venir d'Amérique. Les États-Unis sont à la pointe des recherches en matière d'énergie, **vous ne pouvez le nier;** ils ont d'autre part une longue expérience des problèmes du nucléaire, **nous sommes bien d'accord là-dessus.**	**insister** (p. 55) **insister**
mineure	**Or** ils ralentissent actuellement leur programme d'installation de centrales nucléaires pour se tourner vers d'autres sources d'énergie.	
	Il y a là un exemple qui devrait	

conséquent

tout **de même** nous faire réfléchir avant de nous lancer dans de tels programmes.

OBJECTION

nature : **négation du tout**
- **majeure**
- **mineure**
- **conséquent**

conséquent

Marcel LEFORT : **Je veux bien, mais** la France n'est pas l'Amérique. L'énergie nucléaire est **en effet** vitale pour nous car nous ne disposons ni de pétrole, ni de charbon, ou du moins très peu, ni de gaz en quantités importantes.

concéder (p. 38)

expliquer

Le seul moyen, en définitive, de préserver notre

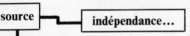

source — **indépendance...**

OBJECTION

nature : **distinction portant sur le sens du terme « indépendance »**

- **distinguer**

- **expliquer**

- **concéder**

Bernard DELFOSSE : « Indépendance », voilà le grand mot lâché! Le nucléaire, c'est l'indépendance!

Mais l'indépendance à l'égard de qui? Des pays producteurs de pétrole? des États-Unis?

Construire des centrales nucléaires, **il ne faut pas l'oublier, cela signifie, dans la plupart** des cas, emprunter des capitaux sur les marchés étrangers, acheter de l'uranium à d'autres pays, utiliser une licence de fabrication américaine.

appel à l'attention (p. 55)

Il y a peut-être, **je vous l'accorde,** une plus grande indépendance à l'égard des pays producteurs de pétrole. Mais

concéder (p. 38)

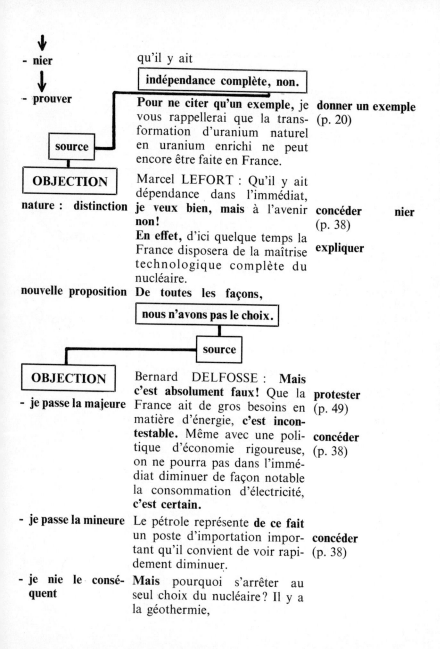

- **nier**　　　qu'il y ait

　　　　　　| **indépendance complète, non.** |

- **prouver**

　　　　　　Pour ne citer qu'un exemple, je　**donner un exemple**
　　　　　　vous rappellerai que la trans-　(p. 20)
| **source** |　formation d'uranium naturel
　　　　　　en uranium enrichi ne peut
　　　　　　encore être faite en France.

| **OBJECTION** |　Marcel LEFORT : Qu'il y ait
　　　　　　dépendance dans l'immédiat,
nature : distinction　**je veux bien, mais** à l'avenir　**concéder**　　**nier**
　　　　　　non!　　　　　　　　　(p. 38)
　　　　　　En effet, d'ici quelque temps la
　　　　　　France disposera de la maîtrise　**expliquer**
　　　　　　technologique complète du
　　　　　　nucléaire.

nouvelle proposition　**De toutes les façons,**

　　　　　　| **nous n'avons pas le choix.** |

　　　　　　　　　　　| **source** |

| **OBJECTION** |　Bernard DELFOSSE : **Mais**
　　　　　　c'est absolument faux! Que la　**protester**
- **je passe la majeure**　France ait de gros besoins en　(p. 49)
　　　　　　matière d'énergie, **c'est incon-**
　　　　　　testable. Même avec une poli-　**concéder**
　　　　　　tique d'économie rigoureuse,　(p. 38)
　　　　　　on ne pourra pas dans l'immé-
　　　　　　diat diminuer de façon notable
　　　　　　la consommation d'électricité,
　　　　　　c'est certain.

- **je passe la mineure**　Le pétrole représente **de ce fait**
　　　　　　un poste d'importation impor-　**concéder**
　　　　　　tant qu'il convient de voir rapi-　(p. 38)
　　　　　　dement diminuer.

- **je nie le consé-**　**Mais** pourquoi s'arrêter au
quent　　　seul choix du nucléaire? Il y a
　　　　　　la géothermie,

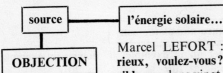

| source | l'énergie solaire... |

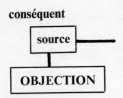

OBJECTION

nature : distinction

Marcel LEFORT : **Soyons sérieux, voulez-vous? Il est possible que** dans vingt ans l'énergie solaire représente une part importante de la production française d'électricité, **mais** dans l'immédiat **non.**

appel à l'attention (p. 55)

concéder (p. 38)

nier

conséquent

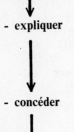

source

OBJECTION

nature : nier le sous-entendu de la proposition précédente
- distinguer

↓

- expliquer

↓

- concéder

↓

- nier

↓

Croyez-moi, si c'était à refaire et | **si j'étais ministre de l'Industrie,** | je choisirais à nouveau la solution du nucléaire.

adresse à l'auditeur (pp. 46 et 55)

Bernard DELFOSSE : Vous dites : « Si j'étais ministre de l'Industrie, je choisirais sans hésitation le nucléaire comme source principale d'énergie. »

Certes, mais ministre de quel gouvernement? Avec quels objectifs?

Il faut savoir, **en effet,** si l'on se contente de reproduire la société telle qu'elle est aujourd'hui ou si l'on veut vraiment changer de système économique.

Dans l'hypothèse d'une société identique à la nôtre, grosse consommatrice d'énergie, **cela peut à la rigueur se justifier.**

Dans l'hypothèse d'une société différente, moins technocratique, moins lourde, un tel choix **n'a plus sa raison d'être.**

- prouver   D'ailleurs, rappelez-vous, en 1965, la consommation d'électricité en France était de moitié inférieure à celle d'aujourd'hui. Est-ce que vous avez l'impression qu'en ce temps-là nous vivions comme des sauvages?

Il est possible de représenter ainsi la démarche adoptée pour **présenter une objection :**

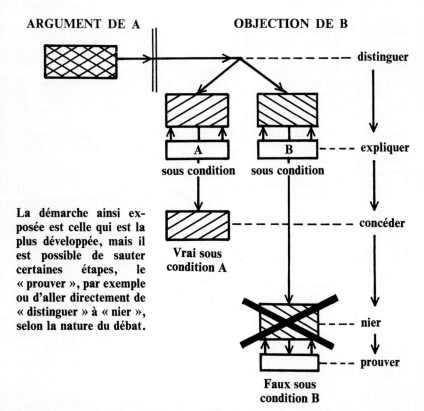

ARGUMENT DE A   **OBJECTION DE B**

distinguer

A   B   expliquer

sous condition   sous condition

La démarche ainsi exposée est celle qui est la plus développée, mais il est possible de sauter certaines étapes, le « prouver », par exemple ou d'aller directement de « distinguer » à « nier », selon la nature du débat.

Vrai sous condition A   concéder

nier

prouver

Faux sous condition B

EXERCICES

Le débat sur l'énergie nucléaire est loin d'être achevé. Les arguments que l'on peut échanger à ce sujet sont très variés et très nombreux.

Voici, par exemple, un certain nombre de données qui permettront d'organiser un second débat, soit entre deux personnes, soit entre deux groupes.

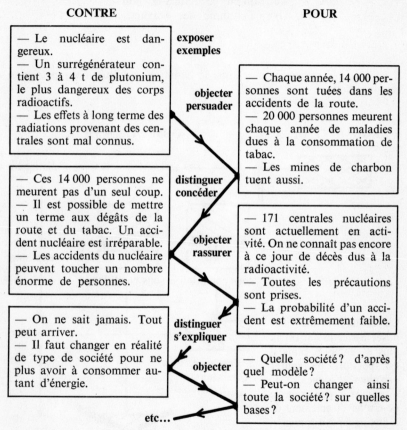

CONTRE

— Le nucléaire est dangereux.
— Un surrégénérateur contient 3 à 4 t de plutonium, le plus dangereux des corps radioactifs.
— Les effets à long terme des radiations provenant des centrales sont mal connus.

— Ces 14 000 personnes ne meurent pas d'un seul coup.
— Il est possible de mettre un terme aux dégâts de la route et du tabac. Un accident nucléaire est irréparable.
— Les accidents du nucléaire peuvent toucher un nombre énorme de personnes.

— On ne sait jamais. Tout peut arriver.
— Il faut changer en réalité de type de société pour ne plus avoir à consommer autant d'énergie.

exposer
exemples

objecter
persuader

distinguer
concéder

objecter
rassurer

distinguer
s'expliquer

objecter

etc...

POUR

— Chaque année, 14 000 personnes sont tuées dans les accidents de la route.
— 20 000 personnes meurent chaque année de maladies dues à la consommation de tabac.
— Les mines de charbon tuent aussi.

— 171 centrales nucléaires sont actuellement en activité. On ne connaît pas encore à ce jour de décès dus à la radioactivité.
— Toutes les précautions sont prises.
— La probabilité d'un accident est extrêmement faible.

— Quelle société? d'après quel modèle?
— Peut-on changer ainsi toute la société? sur quelles bases?

A partir de ces données, essayez d'organiser un débat, à deux, à quatre ou à six, les membres d'un même groupe pouvant s'aider. On est libre d'introduire d'autres arguments et de recourir à d'autres types d'actes que ceux indiqués en face de chaque série de données.

INTERVENIR POUR OBJECTER

Les problèmes de pollution sont partout à l'ordre du jour. Une grande société de produits chimiques, la C.F.C. (Compagnie française de chimie) est accusée de polluer gravement l'environnement, notamment en rejetant des fumées chargées d'un produit dangereux, **le fluor,** qui ravage les plantes, provoque la mort des animaux et présente même certains risques pour la santé des gens.

La télévision décide d'organiser un débat sur ce thème et réunit :
— le président directeur général de la société C.F.C., M. Pierre Garnier.
— Simone Fabre, membre des « Amis de la Nature », association destinée à défendre l'environnement.

Vous allez écouter tout d'abord la déclaration du P.D.G. de la C.F.C. et noter dans la marge tous les éléments qui vous permettront de répondre à son exposé. Pour pouvoir en effet intervenir efficacement, il faut être capable d'**écouter attentivement.**

Pour cela, notez la réponse qui vous paraît convenable dans la marge.

Déclaration de Pierre Garnier

Bon, je crois qu'il ne faut rien exagérer, il faut dédramatiser le débat et bien distinguer les faits.

D'une part, et c'est très important, il n'y a jamais eu de maladies graves provoquées par le fluor. On ne connaît pas non plus de personne vivant en dehors de l'usine ou dans son voisinage immédiat qui ait été malade à cause du fluor.

Quant à ce qui se passe à l'intérieur des ateliers eux-mêmes, il faut rappeler que l'on n'a jamais relevé l'existence non plus de maladies dues au fluor, sauf peut-être quelques cas d'allergies, mais peu nombreux en fait.

Analyse de la déclaration

Le P.D.G. :

☐ nie | l'existence de
☐ reconnaît | problèmes.

Il est :

☐ en position forte,
☐ en position de défense.

Selon le P.D.G., le fluor :

☐ provoque des troubles,
☐ ne provoque pas de troubles.

Il cherche à :

☐ minimiser,
☐ dramatiser.

Donc le problème du fluor n'est pas un problème grave sur le plan humain.

En ce qui concerne le bétail et la végétation, je vous l'accorde, le problème est plus grave, plus spectaculaire.

Mais les dégâts commis sur l'environnement par le fluor ont toujours été remboursés, soit que les terres aient été rachetées, soit que les propriétaires de bêtes atteintes aient été indemnisés.

Cela dit, nous n'avons pas attendu que se déclenchent toutes ces campagnes anti-pollution pour prendre des mesures destinées à limiter les rejets de fluor.

Comme vous le voyez, même s'il subsiste çà et là quelques problèmes, nous pouvons dire que la situation a évolué très favorablement.

Pour les ouvriers, le P.D.G. :
☐ nie l'existence de problèmes,
☐ reconnaît franchement l'existence de problèmes,
☐ concède qu'il existe certains problèmes.

Le P.D.G. a traité du problème de la pollution :
☐ en une seule fois,
☐ en distinguant les aspects.

Sur cette question, il est :
☐ en position forte,
☐ en position faible.

Le P.D.G. évoque surtout :
☐ la situation présente,
☐ le passé et le futur.

Pourquoi?

Maintenant, vous allez jouer le rôle de Simone Fabre et essayer de lui répondre. Pour cela vous disposez déjà d'une fiche de renseignements sur laquelle vous avez inscrit un certain nombre de faits ou d'arguments :

C.F.C. - FLUOR

— en 1908 déjà, des rapports de la Médecine du travail signalaient des cas de fluorose humaine ;

— les cas de fracture spontanée des os sont fréquents dans les régions situées autour des usines rejetant du fluor ;

— les dégâts commis sur l'environnement sont considérables. On en est à 8 000 ha de pins brûlés par le fluor en 1975. Sur 40 000 arbres replantés depuis 1969, 1 % seulement ont survécu ;

— peut-on dissocier les problèmes de l'homme et de l'environnement ?

Essayez alors d'organiser votre réponse (introduire l'intervention, marquer les différents types d'objection — contradictions —, marquer le caractère dramatique de la situation, etc.)

INFLUENCER INCITER

Influencer un auditoire, c'est essayer de le faire changer d'avis.

On pourra :

— soit l'inciter à faire quelque chose, c'est-à-dire le pousser à cela, alors qu'au départ il y est défavorable;

— soit le dissuader, c'est-à-dire l'en empêcher, alors qu'au départ il y est favorable.

Il existe pour ce faire différentes manières de procéder que l'on pourra utiliser soit simultanément, soit séparément; nous verrons plus loin comment. Pour cela, il faut tenir compte de plusieurs données :

— la position initiale de la personne ou de l'auditoire auquel on s'adresse (favorable ou défavorable au départ);

— le but recherché (inciter ou dissuader);

— la nature de l'événement (faire ou ne pas faire, continuer ou ne pas continuer à);

— les satisfactions que l'on pense retirer de la réalisation ou de la non-réalisation de l'événement envisagé.

En les combinant diversement, on peut alors envisager plusieurs stratégies pour influencer favorablement ou défavorablement les personnes auxquelles on s'adresse.

Examinons d'abord ces différentes stratégies :

LES FRANÇAIS ET LA NOURRITURE

Longtemps réputés pour leur amour extrême de la nourriture, les Français commencent cependant à se poser des questions. Ne mange-t-on pas trop? Cette nourriture n'est-elle pas trop riche, mal équilibrée?

Beaucoup se mettent maintenant au régime, c'est-à-dire diminuent les quantités de nourriture, choisissent certains aliments de préférence à d'autres, pour essayer de maigrir, ou du moins de perdre du poids.

Vous avez un (une) ami(e) qui, selon vous, mange trop. Vous allez essayer de l'inciter à se mettre au régime.

Il (elle) vous dit :

— Moi, me mettre au régime? Mais je me trouve très bien ainsi. Je me porte très bien.

Votre position est la suivante :

— **se mettre au régime = événement positif (+)**

— **continuer à manger ainsi = événement négatif (−)**

1ʳᵉ possibilité :

RÉALISATION + ──────→ entraîne	RÉSULTAT +
Mange moins	**tu te sentiras mieux**
Mets-toi au régime	**tu te sentiras plus à l'aise**
Ne mange pas n'importe quoi	**tu pourras rentrer plus facilement dans tes pantalons**

Pour être plus convaincant, on essaiera de **mettre en valeur** les conséquences positives d'une décision à valeur positive (cf. *persuader*, p. 54) :

— **Crois-moi,** mange moins, et **je t'assure,** tu te sentiras mieux.

— **Écoute-moi,** mets-toi au régime et **tu verras,** tu te sentiras plus à l'aise.

— **Tu n'as pas à hésiter,** ne mange pas n'importe quoi, et **tu t'en rendras très rapidement compte,** tu pourras rentrer plus facilement dans tes pantalons.

— **Tu as intérêt à** ne pas manger n'importe quoi, et **je t'assure,** tu pourras rentrer plus facilement dans tes pantalons.

2ᵉ possibilité :

RÉALISATION − ──────→ entraîne	RÉSULTAT −	
— Si tu continues à manger ainsi	**tu ne pourras plus te mettre en pantalons**	
Si tu continues à manger autant	**tu ne rentreras plus dans tes jupes**	
Si tu ne supprimes pas : le pain, les gâteaux, les féculents, les sucreries	**tu prendras**	**du ventre**
		des fesses

Dans ce cas, pour être plus convaincant, on essaiera **de mettre en garde** la personne contre les conséquences négatives d'une décision à valeur négative, avec les mêmes procédés d'insistance (cf. *persuader*, p. 54).

Ce qui pourra s'exprimer ainsi :

fais bien attention,
prends bien garde,
je t'en prie,
écoute-moi,
sois raisonnable,
tu as tort, si tu continues à manger ainsi, tu ne pourras plus te mettre en pantalons.

3e possibilité :

Votre ami(e) peut se faire des illusions, c'est-à-dire s'imaginer qu'en continuant à manger comme il(elle) le fait, tout continuera à aller bien. Il s'agit alors de le(la) **détromper** c'est-à-dire de lui montrer qu'il ne peut pas y avoir de conséquences positives à une décision à valeur négative.

IL EST FAUX DE CROIRE

RÉALISATION − ⟶	entraîne (malgré tout)	RÉSULTAT +
Ne crois pas que **Ne t'imagine pas que** **Ce n'est pas** **Contrairement à ce** **que tu penses,** **ce n'est pas**	en continuant à manger ainsi comme tu le fais	tu pourras toujours rentrer dans tes pantalons **que** tu pourras toujours rentrer dans tes pantalons

On peut, si cela est nécessaire, faire précéder des déclarations de formules d'insistance :

Je t'en prie,
Je t'assure,
Sois raisonnable, ne t'imagine pas qu'en continuant à manger comme tu le fais, tu pourras toujours rentrer dans tes pantalons.

4e possibilité :

Votre ami(e) peut aussi craindre qu'en suivant un régime sa santé puisse en souffrir. Elle (il) peut aussi regretter de ne plus pouvoir manger de la bonne cuisine. Il faut alors le **rassurer,** c'est-à-dire lui montrer qu'il ne peut pas y avoir de conséquences négatives à une décision à valeur positive.

IL EST FAUX DE CROIRE que

RÉALISATION + ⟶	entraîne	RÉSULTAT −
Ne crois pas que	en mangeant moins	tu mangeras moins bien
Ne t'imagine pas que	en te mettant au régime	tu te sentiras moins bien
Ce n'est pas	que	tu te sentiras moins bien

Pour résumer ce premier point, nous pouvons dire qu'**influencer favorablement** quelqu'un, c'est-à-dire l'**inciter** à faire quelque chose peut consister à :

	RÉALI-SATION		RÉSUL-TAT	ACTE	CON-CLU-SION
DÉVELOPPER LES ASPECTS FAVORABLES	+	→	+	mettre en valeur	+
	−	→	−	mettre en garde	+

ou bien, inversement, à développer les conséquences défavorables de la réalisation envisagée par la ou les personnes auxquelles vous vous adressez :

	RÉALI-SATION		RÉSUL-TAT	ACTE	CON-CLU-SION
DÉVELOPPER LES ASPECTS DÉFAVORABLES	−	→	+	détromper	−
	+	→	−	rassurer	−

EXERCICES

LES DANGERS DU TABAC

— Un de vos amis fume trop, en moyenne deux paquets de cigarettes par jour. Vous allez essayer de le convaincre de cesser de fumer.

DISSUADER

Mais on peut aussi envisager la démarche inverse, c'est-à-dire au lieu de vouloir pousser quelqu'un (l'inciter) à faire quelque chose, essayer au contraire de l'empêcher de le faire (le dissuader).

LA LIMITATION DE LA VITESSE SUR LES ROUTES

Depuis 1972, la vitesse sur les routes est limitée en France, 130 km/h sur les autoroutes et 90 km/h sur le reste du réseau. Cette mesure a eu pour effet de faire diminuer de façon spectaculaire le nombre annuel de tués, 14 000 en 1976 au lieu de 17 000 en 1972.

Mais tout le monde n'est pas encore convaincu de l'efficacité d'une telle mesure. Beaucoup d'automobilistes ne respectent pas cette limitation (945 000 infractions à la limitation de vitesse ont été relevées l'année dernière). Il faut donc essayer de les convaincre.

Vous êtes un des responsables de la Sécurité routière et vous participez à une table ronde qui réunit un certain nombre de représentants de différents clubs d'automobile ainsi que des automobilistes. Toutes ces personnes sont dans l'ensemble peu favorables à la limitation de vitesse. Pour elles :

$$\left| \begin{array}{l} \text{la non-limitation de la} \\ \text{vitesse sur les routes} \\ \text{est un élément positif} \end{array} \right| \quad = +$$

Comment allez-vous procéder ?

1ʳᵉ possibilité :

Il est faux de croire que   **réalisation +** **entraîne** **résultat +**

la non-limitation	reste sans effet
de la vitesse	sur le nombre
sur les routes	d'accidents

ou bien...

réalisation —	entraîne	résultat —
la limitation de la vitesse sur les routes		est responsable d'un plus grand nombre d'accidents

Il s'agit, dans les deux cas de **détromper** l'interlocuteur en **insistant** sur l'erreur qu'il commet en croyant que...

Ce qui pourra s'exprimer ainsi :

il est faux de | **croire que**
| **s'imaginer que**

il n'est pas vrai que

il n'est pas sérieux | **de prétendre que**
| **d'affirmer que**
| **d'avancer que**

c'est une erreur (grave) | **de croire que**
| **de s'imaginer que**

Dans les deux cas, la conclusion qui s'impose est qu'il ne faut pas rouler vite et qu'il faut accepter la limitation de vitesse.

2e possibilité :

Inversement, pour dissuader on pourra alors insister et **mettre en valeur** les conséquences négatives ou les inconvénients nés de la décision de ne pas limiter la vitesse sur les routes.

Il est vrai que	réalisation +	entraîne	résultat —
	la non-limitation de vitesse sur les routes		un nombre élevé d'accidents
	ou bien...		
	réalisation —	entraîne	résultat +
	la limitation de vitesse sur les routes		une diminution sensible du nombre d'accidents

... mise en valeur qui pourra s'exprimer ainsi :

> **il est vrai que**
> **il est exact que**
> **tout le monde sait très bien que**
> **il ne fait pas de doute que**
> **il est parfaitement prouvé que**

On peut renforcer cette manière de dire en utilisant certaines expressions du **persuader** (cf. p. 54).

On notera aussi qu'il est tout à fait possible de combiner ces différents modes de persuasion. On pourra dire par exemple :

— **Il est tout à fait faux de croire que** la non-limitation de la vitesse sur les routes assure une meilleure sécurité.

> **Par contre**
> **Inversement**
> **Au contraire,** il est parfaitement prouvé que la vitesse limitée à 90 km à l'heure entraîne une diminution sensible du nombre d'accidents.

Pour résumer ce second point, nous pouvons dire qu'**influencer défavorablement** quelqu'un, c'est-à-dire le **dissuader** de faire quelque chose, peut consister à :

CE QUE PENSE L'AUTRE			VOTRE APPRÉ-CIATION	CONCLUSION
Réalisation		**Résultat**	**Faux**	—
+	⟶	+		
—	⟶	—	**Faux**	—

ou bien

CE QUE PENSE L'AUTRE			VOTRE APPRÉ-CIATION	CONCLUSION
Réalisation		Résultat	Vrai	—
+	⟶	—		
—	⟶	+	Vrai	—

EXERCICE

L'AÉROPORT DE VAUMEILH

Vaumeilh est un petit village des Alpes du Sud, situé dans une plaine entourée de montagnes. Jusqu'à maintenant, c'était un petit village bien tranquille, un peu à l'écart de l'agitation de la vie moderne.

Soudain, il y a quatre ans de cela, on apprend qu'un aéroport international va être construit dans la plaine de Vaumeilh, sur une superficie de 180 ha, ceci

dans l'espoir de faire venir par avion des touristes français et étrangers qui se rendront dans les stations de skis que l'on va créer dans la région. On prévoit même la création d'une superstation de 30 000 lits.

Voici pour les faits.

Mais les gens de la région sont loin d'approuver un tel projet, les avis sont très partagés. Voici, rassemblés dans un bref tableau, les arguments des uns et des autres.

AVANTAGES	INCONVÉNIENTS
— Les Alpes du Sud sont une région d'accès difficile. L'existence d'un aéroport international permettra de la « désenclaver ».	— L'installation de l'aéroport va entraîner l'expropriation de terres agricoles dans une région qui en possède très peu.
— L'aéroport donnera une impulsion nouvelle au tourisme dans une région pauvre en ressources. Cela permettra la création d'emploi.	— Dans une région consacrée pour l'essentiel à l'élevage des moutons, l'existence d'un aéroport posera beaucoup de problèmes. Comment réagiront les bêtes ?
— Les taxes versées par l'aéroport aideront les communes rurales à vivre.	— Le département va dépenser des sommes énormes pour une installation qui ne profitera qu'à des touristes étrangers à la région.
	— Le tourisme n'est pas créateur d'emploi. Il ne bénéficie qu'à des promoteurs ou à des groupes bancaires étrangers à la région.

Une réunion est décidée où l'on parlera du projet de l'aéroport. Cette réunion comprend :

— un représentant de la Chambre de Commerce départementale, très favorable au projet ;

— un représentant du Centre des Jeunes Agriculteurs, très opposé au projet ;

— un représentant de la Direction départementale de l'Équipement, assez favorable ;

— le maire de Vaumeilh, assez opposé au projet.

Cet exercice devra se faire à quatre, chaque personne jouant un des rôles. Qui parviendra à convaincre l'autre ? Quelle sera la stratégie la plus efficace pour convaincre (cf. p. 102) ? Les participants pourront **intervenir** durant le débat (cf. p. 73). Ils auront aussi à **exposer** certaines données, à rappeler des faits (cf. p. 6). Chacun sera libre d'exploiter au mieux les ressources de l'art de convaincre.

TABLE DES ACTES

TABLE DES THÈMES

(On trouvera ici la liste des thèmes qui ont servi de sujet de débat soit à l'occasion des phases de présentation, soit lors des exercices.)

Les illustrations de cet ouvrage sont de Francis Forcadell.
Les photographies sont de Kharbine.

Imprimé en France, par Hemmerlé, Petit et Cie. Paris 2186-04-82
Dépôt légal n° 4666-4-1982. Collection n° 06. Édition n° 03

 15/4568/0.